La paradoxa de l'alliberament
Revolucions seculars
i contrarevolucions religioses

Michael Walzer

PENSAMENT I SOCIETAT – 42
Col·lecció dirigida per Gustau Muñoz

La paradoxa de l'alliberament
Revolucions seculars i contrarevolucions religioses

Traducció de Gustau Muñoz

institució
alfons el magnànim
centre valencià
d'estudis i d'investigació

VALÈNCIA, 2020

Edició original: *The paradox of liberation: secular revolutions and religious counterrevolutions*, New Haven: Yale University Press, 2015

Edició composta amb tipus Linotype Syntax i Linotype Syntax sc, impresa sobre paper Printset Ivori de 90 g/m2

ISBN: 978-84-7822-859-1
DL: V-2511-2020

Disseny de la coberta: Espai Paco Bascuñán
Il·lustració de la coberta: Míting del Bharatiya Janata Party (Partit Popular Indi, BJP), on observem banderes amb el seu símbol, 2016.
    Font: Wikimedia Commons.
Disseny de la col·lecció: Fèlix Bella
Maquetació: Nova Digital Servicios Gráficos, S.L.

Impressió: IMPREMTA DIPUTACIÓ DE VALÈNCIA

A la memòria de Clifford Geertz (1926-2006)
col·lega i amic
amb el qual m'hauria agradat debatre sobre aquest llibre

Índex

Prefaci

El meu propòsit en aquest llibre és analitzar una pauta recurrent, i en la meua opinió pertorbadora, de la història de l'alliberament nacional. Tractaré d'un conjunt reduït de casos: la creació de tres estats independents als anys posteriors a la Segona Guerra Mundial –l'Índia i Israel el 1947-1948, Algèria el 1962– i em centraré en els moviments polítics de tipus laic o secular que aconseguiren crear un Estat i els moviments religiosos que plantejaren un repte a aquest assoliment, si fa no fa, trenta anys després. En el primer capítol em referiré a tots tres moviments d'alliberament –el Congrés Nacional indi, el sionisme laborista i l'FLN (Front d'Alliberament Nacional) algerià, però sobretot a l'FLN. També faré referència –perquè l'havia estudiat anteriorment i perquè ha estat una referència general pel que fa a la revolució i l'alliberament nacional per als autors occidentals– a l'èxode dels israelites antics d'Egipte, que pot ser considerat l'exemple més primerenc, en la literatura si més no i potser en la història, de l'alliberament d'una nació de la dominació estrangera. En el segon capítol examinaré amb detall la pauta recurrent en el cas que millor conec, el moviment sionista i l'estat que va crear. En el tercer capítol, consideraré una visió alternativa dels tres casos, defensada sobretot per autors marxistes. I en el quart capítol abordaré una segona visió alternativa, desenvolupada per autors indis del corrent dels estudis postcolonials. Després plantejaré la qüestió de si l'alliberament nacional té futur, bo i considerant abans –i més àmpliament– el cas de l'Índia i més endavant, de nou, el d'Israel.

No pretenc suggerir que la pauta que examinaré tot seguit siga universal o que és precisament la mateixa en tots els casos. M'atinc a la màxima sobre la vida política segons la qual res no és el mateix que una altra cosa, però que n'hi ha –esdeveniments, processos, moviments i règims– que són similars a altres, i que una comparació acurada ens pot ajudar

11

a entendre les semblances i les diferències. Amics i col·legues als quals vaig consultar el meu projecte m'advertien sobre l'abast de les diferències i em cridaven l'atenció sobre un o altre cas que s'apartava molt del meu tema. A l'Índia, per exemple, se'm va remarcar amb insistència que Algèria era el cas més remot, atès el caràcter autoritari de l'estat que va construir l'FLN, i en part he assumit una mica aquesta posició. Uns quants col·legues i primers lectors afirmaven, en canvi, que els sionistes eren els qui més s'apartaven en raó de l'exili jueu i la lluita inicial i posterior amb els àrabs palestins. Tractaré, sens dubte, aquestes qüestions, però el tema primari del llibre és l'alliberament nacional com a tal i el que anomenaré, de moment, les seues relacions internes. En aquest aspecte –com comprovarà aviat el lector– les analogies són molt fortes entre els tres casos.

Convé subratllar que la meua intenció al llarg d'aquestes pàgines és la comprensió, no tant l'explicació científica. No pretenc que la pauta de tots tres casos puga ser expressada com un conjunt de lleis de validesa general; hi ha casos històrics i contemporanis que aquestes «lleis» no podrien avalar. En realitat els tres casos podrien ser presentats d'una manera que complicaria en gran mesura el meu relat esquemàtic. Parlaré de complicacions addicionals després d'esbossar l'esquema general. Però estic convençut que el meu relat, fins i tot en la versió més simple, aporta un començament útil per a una recerca necessària: què se n'ha fet de l'alliberament nacional?

Inicialment, si més no, fou una història reeixida: les tres nacions es varen alliberar efectivament del domini estranger. Però alhora, els tres estats avui existents no són els estats a què aspiraven els líders i els intel·lectuals que encapçalaren els moviments d'alliberament nacional i la cultura moral/política d'aquests estats, la seua vida interna, per dir-ho així, no és de cap manera la que esperaven els seus fundadors. Hi ha una diferència que és central en la meua anàlisi, sobre la qual tornaré: els tres moviments eren seculars i estaven de fet compromesos amb un projecte explícitament secular; tanmateix, en els estats que sorgiren d'aquests moviments hi té molta força, avui, una política arrelada en el que podríem definir, si fa no fa, com a religió fonamentalista. En tres països diferents, amb tres religions diferents, el calendari del procés hi va ser significativament semblant: passats de vint a trenta anys de la independència, més o menys, l'estat secular es va veure desafiat per un moviment religiós de caire militant.

12

Aquest resultat inesperat és un tret cabdal de la paradoxa de l'alliberament nacional.

El mateix podríem dir-ne d'altres casos i altres moments històrics. Al segle XX varen aparèixer dues versions molt diferents de la política secular. La primera era obertament autoritària: els seus exponents més caracteritzats foren Lenin a Rússia i Atatürk a Turquia. Nasser a Egipte i el partit Baas a Iraq i Síria foren exemples tardans d'un autoritarisme de tipus secular. L'FLN algerià bé podria ser inclòs en aquest grup; l'estat que establí immediatament després de la independència només permetia un sol partit polític, i fins i tot aquest partit fou ràpidament ocupat per l'exèrcit que suposadament controlava. Però atès que al principi l'FLN estava formalment compromès amb la democràcia i que almenys alguns dels seus militants mantingueren aquest compromís, he optat per situar-lo al costat dels exemples, més coherents en termes democràtics, de l'Índia i Israel. Al meu entendre, la combinació de compromís democràtic i secularisme té una importància cabdal en el projecte d'alliberament nacional. És la raó clau que autoritza a anomenar «alliberadors» els moviments dels quals tractarem. O millor dit, és la meua raó per a distingir-los d'altres moviments revolucionaris i nacionalistes, encara que alguns d'aquests altres moviments s'hagen vist també desafiats, amb el temps, per una contrarevolució religiosa.

Els tres moviments d'alliberament nacional que considerarem ací foren blasmats com a «occidentalistes» pels seus crítics religiosos (però també pels crítics postcolonials). L'acusació és sens dubte certa. En molts aspectes els alliberadors imitaven la política de l'esquerra europea. Puix que aquesta és la font de les meues idees polítiques, personalment la crítica no em fa cap nosa. Però apunta a un altre aspecte de la paradoxa de l'alliberament nacional: els militants havien anat a escola amb la mateixa gent que representava el poder imperial contra el qual lluitaven i tenien una visió de la seua pròpia nació realment molt propera a allò que Edward Said en va dir «orientalisme». Aquest terme, igual que el rètol «occidentalista», se suposa que és pejoratiu, i tanmateix hi ha molt a dir en favor dels «orientalistes» —també algunes coses en contra–. La relació problemàtica dels militants de l'alliberament nacional amb la nació que aspiren a alliberar és un aspecte central de l'argumentació desenvolupada als capítols que segueixen. Aquesta és la «relació interna» que pretenc analitzar. De fet, és una relació que explica moltes coses de la contrarevolució religiosa.

13

La primera qüestió que plantege –què se n'ha fet de l'alliberament nacional?– condueix de seguida a una altra: què se n'ha fet de l'esquerra democràtica secular? Vet ací la qüestió més pregona –potser hauria de dir-ne l'angoixa– que em va dur a escriure aquest llibre. És una qüestió que va més enllà dels tres casos examinats ací, però no tinc cap intenció d'escriure sobre aquesta qüestió en termes abstractes. Sempre he trobat dificultats a l'hora de mantenir una argumentació abstracta més enllà d'unes quantes frases. M'estime més escriure en termes concrets. I l'Índia, Israel i Algèria ofereixen exemples profitosos quant a les dificultats de l'esquerra laica o secular per a dur a terme i mantenir l'hegemonia política i la reproducció cultural. Hi ha potser altres casos també il·lustratius. Podria debatre aquestes dificultats fins i tot en el cas dels Estats Units, que va fer una revolució que no fou una lluita d'alliberament nacional, tot i que constitueix un exemple impressionant de compromís secular (i quasi-democràtic, si més no). Els lectors que dubten que mai haja existit una esquerra secular significativa als Estats Units farien bé de fer una ullada als primers temps de la història nord-americana. Els primers colons i els fundadors polítics s'alliberaren per ells mateixos o, millor, començaren a alliberar-se per ells mateixos dels poders establers de caire religiós del Vell Món, i crearen el que crec que fou el primer estat secular de la història. En un breu *post scriptum* tractaré d'explicar per què la paradoxa que ha marcat els casos considerats del segle XX no es va donar a la Nord-Amèrica del segle XVIII. Aquest és un argument que subratlla, sens dubte, l'excepcionalisme dels Estats Units, però hi faré un matís important. Per excepcionals que foren els nord-americans al segle XVIII, avui dia ja no ho som tant.

1. La paradoxa de l'alliberament nacional

I

L'alliberament nacional és un projecte ambiciós i també, des del principi mateix, un projecte no mancat d'ambigüitat. La nació ha d'alliberar-se no només dels opressors externs –en certa manera, això és el més fàcil– sinó també dels efectes interns de l'opressió exterior. Albert Memmi, el jueu tunisenc que va escriure amb sagacitat sobre els efectes psicològics de la dominació estrangera, l'encertava. Els jueus havien de desempallegar-se «d'una doble opressió: d'una opressió externa objectiva feta de... les constants agressions que han hagut de patir *i també* d'una auto-opressió... les conseqüències de la qual són igualment devastadores».[1] Una de les conseqüències d'aquesta conjunció és la dominació interna de les elits tradicionals, dels mediadors del poder estranger: els homes i dones, sobretot homes, que van i venen entre la nació i els seus governants, que negocien amb els governants, enganyant-los si molt convé, moderant les seues demandes si els sembla necessari, mirant de treure el millor partit possible d'una relació difícil i sovint humiliant. La figura del «jueu de Cort» té equivalents en gairebé tota nació governada per estrangers, i un dels objectius de l'alliberament nacional és l'eliminació d'aquesta funció i la derrota de la gent que s'hi havia identificat íntimament.

Però calia superar també un altre efecte, encara més important, d'aquesta doble opressió, que era la passivitat, l'adaptació, la somnolència profunda dels pobles dominats. Cap nació pot viure molt de temps sota dominació estrangera o, com els jueus, en l'exili, sense adaptar-se o acomodar-se a la seua situació i sense fer les paus amb els poders establerts. Les temptatives primerenques de resistència són reprimides, sovint de manera brutal; després d'això, la resistència esdevé

---

1 Albert Memmi, *The Liberation of the Jew,* trad. Judy Hyun (Nova York: Viking Press, 1973), 297. Vegeu també Mitchell Cohen, «The Zionism of Albert Memmi», *Midstream* (November 1978), 55-59.

subterrània i es manifesta en la queixa compartida, l'humor i l'evasió. Hi ha acadèmics d'esquerres que han mirat de celebrar aquest estat de coses, i potser caldria celebrar-lo.[2] Però la realitat més àmplia i més trista era una situació d'adaptació a les circumstàncies, perquè generalment les alternatives pràctiques eren menys atractives. L'adaptació i la conformitat podien més o menys marcades segons la severitat de les condicions a les quals calia adaptar-se i els anys, dècades o segles durant els quals imperaven aquestes condicions. En l'esfera política l'adaptació prenia formes diverses: la resignació fatalista, la retirada de l'activitat política i la dedicació als afers familiars o comunitaris, fins i tot l'acceptació de la «superioritat» política dels governants estrangers. Llavors la cultura local és considerada inapta per a la política. S'ha de dedicar a objectius més elevats, més espirituals. «Ells» –és a dir, els britànics, els francesos, els europeus en general– tenen talent per a la política; són ferms i implacables com escau a la dominació imperial; «nosaltres», en canvi, ens hi sotmetem perquè ens centrem en coses més importants; la duresa implacable és aliena a la nostra manera de ser.[3]

Fins i tot un artífex de l'alliberament com Mohandas Gandhi, que no tenia cap intenció d'imitar la duresa implacable dels governants imperials, estava convençut, tanmateix, que calia superar l'antiga acomodació; que calia «entrenar les masses en la confiança en si mateixes i en la conquista del poder». El «programa constructiu» de Gandhi es proposava formar homes i dones «aptes i llestos» per a la independència, individus capaços de «manejar els seus propis assumptes», tot i que no –com els britànics– els dels altres.[4] Aquesta comesa havia de ser acomplida puntualment abans de l'alliberament nacional, però el cas és que no s'havia dut del tot a terme en cap dels exemples que analitzarem tot seguit. Des del principi els programes constructius dels moviments d'alliberament ensopegaren amb dificultats greus.

2 Per a una exposició clàssica, vegeu James C. Scott, *Domination and the Arts of Resistance: Hidden Transcripts* (New Haven: Yale University Press, 1990).
3 L'odi dels militants alliberadors a qualsevol versió de l'adaptació ideològica es tractarà en capítols posteriors. Els adeptes del reviscolament religiós compartien aquest odi. Vegeu, per example, M. S. Golwalkar sobre la «docilitat» hindú a *Hindu Nationalism: A Reader,* ed. Christophe Jaffrelot (Princeton, N.J.: Princeton University Press, 2007), 136.
4 Karuna Mantena, «Gandhi's Realism: Means and Ends in Politics» (manuscrit inèdit, 2014).

Una vegada que la gent s'ha situat i s'ha ajustat, d'una manera o altra, a la versió corresponent del govern estranger, els homes i dones que apareixen de cop i volta i els ofereixen d'alliberar-los, seran vistos molt probablement amb recel –com Moisès quan tractava d'explicar als israelites que anava a alliberar-los de l'esclavitud egípcia.[5] En aquest punt el text bíblic explica un relat clàssic, que s'ha repetit una i altra vegada quan uns llibertadors joves i entusiastes s'acosten per primera vegada al poble que volen alliberar i el troben temorenc i malfiat. Els llibertadors descobreixen aviat que per tal de fer possible l'alliberament cal prèviament (en termes moderns) «formar la consciència» del poble.

¿I què pot voler dir això, sinó oposar-se a la consciència popular ja existent, conformada per l'opressió i l'adaptació? Formar consciència és una tasca de persuasió, però fàcilment es transforma en una guerra cultural entre els llibertadores i els que podríem anomenar tradicionalistes. Formar consciència pot ser una empresa complicada. Un líder carismàtic com Gandhi bé podia adaptar la cultura tradicional a les necessitats de l'alliberament nacional, però les adaptacions en aquesta línia poden trobar fàcilment oposicions ferotges i el seu èxit pot ser de curta durada. I fins i tot el mateix Gandhi s'oposava enèrgicament a molts aspectes de la cultura hindú, especialment pel que fa a la sort reservada als «intocables». Com és sabut, Gandhi fou assassinat per algú identificat amb una versió més literal, o més tradicional, o potser més radicalment nacionalista de l'hinduisme.[6]

He tret aquest exemple, i la resta dels meus exemples, de la història del nacionalisme, però convé subratllar que l'alliberament nacional és un subconjunt d'aquesta història, una part, i no tota la història del nacionalisme. De fet, d'alguna manera el projecte alliberador sembla que no encaixa amb la definició del nacionalisme que dona el Diccionari Webster: «un sentit de la consciència nacional que exalta la pròpia nació per damunt de totes les altres i que posa un èmfasi primari en la defensa de la seua cultura i els seus interessos, considerats

---

5 Èxode 5:19. Fins i tot després de l'eixida d'Egipte el poble es mostrava recelós i temorenc. Vegeu el meu *Exodus and Revolution* (Nova York: Basic Books, 1985), cap. 2.

6 La motivació immediata de l'assassí, com digué després, eren «les grans concessions [de Gandhi] als musulmans». Vegeu Ramachandra Guha, *India after Gandhi: The History of the World's Largest Denwcracy* (Nova York, Harper Collins, 2007), 38.

oposats als de les altres nacions».[7] Sens dubte hi ha homes i dones amb aquest tipus de consciència en tots els moviments d'alliberament nacional: n'hi formen l'ala dreta. Per a ells el nacionalisme és un joc de suma zero. Però l'«èmfasi primari» dels capdavanters del moviment és diferent en un sentit doble. En primer lloc, el que es proposen d'aconseguir és la igualtat política amb altres nacions, no una posició dominant sobre aquestes. I en segon lloc, malden per alliberar la seua nació de tradicions molt arrelades d'autoritarisme i passivitat –de fet, de la seua pròpia cultura històrica. L'alliberament està més a prop de la política revolucionària que de l'engrandiment nacional. A l'igual que els militants de l'alliberament, els re-volucionaris s'oposen a les actituds predominants, marcades per la submissió, l'acomodació i (com diuen els marxistes) la «falsa consciència». Aspiren a una transformació radical. La revolució social pressuposa la lluita contra la societat existent; l'alliberament nacional pressuposa la lluita contra la nació existent, més que no una «exaltació» de la nació.

Això inclou sovint una lluita antireligiosa perquè la religió, com va escriure Jawaharlal Nehru, ensenya «una filosofia de submissió... a l'ordre social dominant i a tot l'existent».[8] Nehru estava expressant ací la posició habitual entre els adeptes de l'alliberament, que té molt a veure amb el fet que normalment l'adaptació al govern estranger pren una forma religiosa, en part per la raó evident que la projecció ultramundana ofereix certs consols tothora a l'abast, per malament que es presenten les coses ara i ací. Però els militants laics de l'alliberament nacional s'equivoquen si creuen que els consols de la religió són una cosa així com demanar la lluna i prou. Perquè la reli-gió genera també fantasies de reversió i triomf i per tant, de manera intermitent, moviments de reviscolament* i moviments mil·lenaristes que són de vegades impetuosos, però sempre escassament efectius.[9] El mil·lenarisme fa tota la impressió que s'oposa al govern estranger, i de vegades pot oposar-s'hi realment durant un breu període, però a llarg termini és una

7 *Webster's New Collegiate Dictionary* (Springfield, Mass.: G. & C. Merriam, 1980), veu «nationalism».

8 Jawaharlal Nehru, *The Discovery of India* (Nova Delhi: Penguin Books, 2004), 569.

* Traduesc *revivalist* i *revival*, en el sentit d'un renaixement religiós, com a «reviscolador» i «reviscolament». (N. del t.)

9 Per a un exemple procedent la història jueva, vegeu Gershom Scholem, *The Messianic Idea in Judaism and Other Essays on Jewish Spirituality* (Nova York: Schocken, 1971), cap. 1, on fa la inter-pretació clàssica del messianisme jueu com una forma d'adaptació política.

forma d'acomodació política, perquè no produeix una política d'oposició permanent o sostinguda i el mil·lenni no arriba mai. Una altra forma d'acomodació –més concreta– és decididament d'aquest món i no mira cap endavant en cerca d'esdeveniments apocalíptics. La majoria de religions, en realitat, prescriuen un tipus de capteniment o de règim que pot i ha de ser instaurat ja en el present. Exigeix la submissió dels creients normals i corrents i assigna una funció d'autoritat als dirigents religiosos tradicionals, que sovint són ja funcionaris locals o jutges de pau, nomenats pels governants estrangers i, en correspondència, submisos envers ells.

Però ni la política mil·lenarista ni la tradicionalista inviten al compromís ideològic o a l'activisme a llarg termini. Cap d'aquestes orientacions no promet la llibertat individual, la independència política, la ciutadania, el govern democràtic, l'educació científica o el progrés econòmic. És per aconseguir tot això que els militants de l'alliberament nacional o els revolucionaris es veuen impel·lits a transformar el poble en nom del qual actuen, i aquesta transformació exigeix la derrota dels líders religiosos del poble i la superació del mode de vida ancestral del poble. En un text escrit trenta anys després de l'alliberament nacional de l'Índia, V. S. Naipaul capturava perfectament l'actitud dels alliberadors envers la religió del poble:

> L'hinduisme... ens ha menat a mil anys de desfeta i estancament. No ha transmès a la gent cap idea de contracte amb l'altra gent, cap idea d'Estat. Ha esclavitzat una quarta part de la població i ha fet sempre el conjunt fragmentat i vulnerable. La seua filosofia del replegament interior ha minvat intel·lectualment els individus i no els ha equipat per a entomar els reptes. Ha ofegat el creixement.[10]

L'alliberament nacional, en canvi, és un credo secularitzant, modernitzador i orientat al desenvolupament. És, com diuen els seus adversaris, un credo «occidental» i, per a la nació que es tracta d'alliberar, quelcom de totalment nou. Allò nou, la innovació, de fet, és el mantra dels alliberadors. Ofereixen al poble oprimit un nou començament, una nova política, una nova cultura, una nova economia. Es proposen crear un home i una dona nous. Així, en paraules de David Ben-Gurion: «El treballador d'Eretz Ysrael [la Terra d'Israel] és distint del treba-

10. V.S. Naipaul, *India: A Wounded Civilization* (Nova York: Vintage, 1973), 43.

llador jueu en Galut [exili]... No és una nova branca empeltada en una vella tradició, sinó un arbre nou». Literalment, a ulls de Ben-Gurion, un nou tipus de jueu.[11] De manera semblant, segons Frantz Fanon: «Existeix un nou tipus d'home algerià. La força de la Revolució Algeriana... rau en la mutació radical que ha experimentat l'algerià».[12]

La història dels Estats Units pot donar una mica de llum per a entendre el sentit de tot això: el que Ralph Waldo Emerson i els seus coetanis anomenaven «la novetat americana» s'havia assolit fugint de les tiranies i les tradicions del Vell Món. En la història americana, com en la història de l'antic Israel, la victòria del nou requeria un desplaçament geogràfic més que no un moviment polític. Així, l'experiència americana va menar Louis Hartz a assegurar que «l'única revolució verament reeixida és... una migració».[13] La mateixa sensació de començar de nou es troba present en tots els casos d'alliberament nacional, fins i tot si el nou començament s'esdevé en un lloc antic.

La novetat, per descomptat, troba resistència, que comença amb una adhesió entossudida a «les coses tal com s'han fet tota la vida», però que aviat esdevé ideològica i per conseqüent també és nova: tant el fonamentalisme com la ultraortodòxia són reaccions modernistes a les temptatives de transformació modernista. L'eslògan dels ultraortodoxos jueus «Tot allò nou està prohibit per la Torà» és, per la seua banda, una idea nova; hauria fet impossible l'acomodació històrica a l'exili.[14] La supervivència jueva pressuposava una adaptabilitat ben desperta i la disposició a la innovació. Però l'eslògan funciona bé contra els intents de posar fi a l'exili, i se'n poden trobar exemples semblants d'oposició a la novetat de l'alliberament nacional a l'Índia i a Algèria. Més sorprenent encara és la reaparició d'aquesta oposició després de l'assoliment de la independència política, quan els defensors de la religió

11 Amnon Rubinstein, *The Zionist Dream Revisited: From Herzl to Gush Emunim and Back* (NovaYork: Schocken, 1984), 30. Ben-Gurion va escriure això en 1936; per a una manifestació posterior, vegeu el seu article «A New Jew Arises in Israel», *Jerusalem Post*, 13 de maig, 1958. També Oz Almog, *The Sabra: The Creation of the New Jew*, trad. Haim Watzman (Berkeley: University of California Press, 2000).

12 Frantz Fanon, *Studies in a Dying Colonialism*, trad. Haakon Chevalier (Nova York: Monthly Review Press, 1965), 30, 32.

13 Louis Hartz, «The Nature of Revolution», *Society* (May-June 2005), 57. És el text de la declaració de Hartz davant el Comitè de Relacions Exteriors del Senat en febrer de 1968; té una introducció de Paul Roazen.

14 La màxima prové de Moses Sofer, un dels rabins ortodoxos més importants del segle XIX.

tradicional –ells mateixos renovats i modernitzats– enceten la construcció d'una política contrarevolucionària.

Potser fóra millor explicar ara una història concreta o si més no aportar un breu exemple relatiu a la qüestió que plantege, per tal d'evitar el risc d'un enfocament massa esquemàtic. Començaré amb el cas d'Algèria perquè és, en molts aspectes, el més remot dels tres que he triat. Primer de tot, la repressió francesa a Algèria fou més brutal que la dels anglesos a l'Índia o Palestina, i tingué un reflex en les guerres internes del Front d'Alliberament Nacional, en la campanya terrorista de l'FLN contra els colons europeus (els partidaris del terrorisme foren marginals a l'Índia i una petita minoria entre els sionistes), i també en l'autoritarisme de l'FLN posterior a la independència. En segon terme, el compromís amb el secularisme –tot i que tingué un portaveu enèrgic en la persona de Frantz Fanon– fou a Algèria probablement més feble que en els dos altres casos. Els líders més visibles de l'FLN, certament, eren seculars i marxistes, o com a mínim socialistes, quant a la seua orientació política. Però el manifest inicial del moviment, retransmès a través de Ràdio el Caire el 1954, feia una crida per «un Estat algerià sobirà, democràtic i social, en el marc dels principis de l'islam».[15] Hi hagué gent a l'FLN que es prengué seriosament aquest marc, i que exigí immediatament després de la independència que es posés en pràctica. Tanmateix, durant els primers anys, els militants de l'FLN posaren més aviat poc interès en els principis islàmics. Així, La Plataforma de Soummam de 1956, elaborada bàsicament per l'FLN de l'interior i els seus líders berbers, deixà de banda els principis de l'islam en la seua caracterització dels objectius del moviment: «la formació d'un Estat algerià en forma de república democràtica i social –i no la restauració de la monarquia o d'una teocràcia». Un any després, al Caire, s'assolí un compromís amb un nou text que proposava «l'establiment d'una República algeriana social i democràtica, que no està en contradicció amb els principis de l'islam».[16]

15 El text del manifest es troba a Alistair Horne, *A Savage War of Peace: Algeria, 1954-1962* (Nova York: Viking Press, 1977), 94-95. No s'especificava quins eren els principis de l'Islam.
16 «Plateforme de la Soummam pour Assurer le Triomphe de la Révolution Algérienne dans la Lutte pour l'Indépendance Nationale», 4. El text es pot trobar a Internet. Quant al compromís del Caire, vegeu Ricardo René Laremont, *Islam and the Politics of Resistance in Algeria, 1783-1992.* (Trenton; N.J.: Africa World Press, 2000), 119.

En qualsevol cas, els líders de l'FLN no dedicaren gaire temps a estudiar els principis de l'islam. Tancat en una presó, Ahmed Ben Bella, el futur primer president d'Algèria, llegia les publicacions esquerranes de l'editor Maspero, de París, i estudiava les obres de Lenin, Sartre i Malraux. Després de la independència proposava quelcom que anomenava «socialisme islàmic» que era, com li retreien els seus crítics musulmans, més socialista que islàmic. Els seus principals assessors, una vegada president, eren trotskistes. Ramdane Abane, un dels intel·lectuals més destacats de l'FLN i defensor del terrorisme, passà cinc anys a la presó (1950-1955), on «es dedicà a una lectura voraç de textos revolucionaris, de Marx i de Lenin –i fins i tot *Mein Kampf*». Havia aprovat ja el seu batxiller francès, i segurament va fer totes aquestes lectures en francès. Molts dels militants de l'FLN, i un gran nombre dels seus intel·lectuals, eren francòfons. La formació del Govern Provisional de la República d'Algèria fou anunciada en francès per Ferhat Abbas, llavors el cap de l'FLN.[17] Els membres de l'FLN eren sens dubte nacionalistes algerians convençuts: «No és amb vosaltres sinó contra vosaltres que aprenem la vostra llengua», declarava el personatge d'una novel·la d'un escriptor algerià (que escrivia en francès).[18] Al mateix temps, molts d'aquests nacionalistes eren culturalment francòfils o, millor encara, euròfils: Hocine Ait Ahmed –un berber i, juntament amb Ben Bella, un dels *neuf historiques*, els Nou Històrics, fundadors de l'FLN– es va concentrar durant els seus anys de presó en la literatura anglesa. Militants com Ben Bella i Ait Ahmed, volien acabar amb el govern estranger, però es trobaven notòriament còmodes dins d'una cultura aliena.

Importants erudits musulmans, organitzats en l'Associació d'Ulemes Algerians, condemnaren la frisosa recepció de la cultura europea per part de molts algerians, especialment a les ciutats, i exigien l'ús exclusiu de l'àrab a les escoles algerianes. Aquesta associació prefigurava el reviscolament islàmic de les dècades de 1980 i 1990. Llavors els militants d'aquest corrent s'oposaven ferotgement al bilingüisme defensat per Mostefa

---

17 Horne, *Savage War of Peace*, 469, 133, 316.

18 Mourad Bourbonne, *Les Monts des Genêts* (1962), citat a Horne, *Savage War of Peace*, 61. Considerem aquesta referència de Jean-Paul Sartre a Fanon: «Un ex nadiu, de llengua francesa que, adapta aquesta llengua a noves exigèn-cies... i parla únicament als colonitzats». Això és directament fals. Fanon s'adreçava a l'esquerra francesa, on hi va trobar els seus lectors i admiradors principals. Vegeu Frantz Fanon, *The Wretched of the Earth*, trad. Constance Farrington (Nova York: Grove Press, 1963), 9 (prefaci).

LA PARADOXA DE L'ALLIBERAMENT

Lacheraf, un veterà de l'FLN que fou ministre de Cultura a finals dels anys 70. Com va escriure Clifford Geertz a propòsit de grups reformistes similars al Marroc: «Eren musulmans d'oposició... En el que havia estat un subtil menyspreu medieval envers els infidels, hi va lliscar una tensa nota moderna d'enveja ansiosa i d'orgull defensiu».[19] Però els ulemes foren incapaços de promoure una política nacionalista moderna i varen trobar, al seu torn, l'oposició dels musulmans «moderats». Els moderats demanaven als francesos que acceptaren el dret islàmic en matèria de família i que feren concessions menors a la sensibilitat musulmana, però al marge d'això no tenien gaires problemes amb el govern francès. Els funcionaris musulmans observaven una actitud de plena subordinació, i la Plataforma de Soummam els menyspreava com a «domesticats, triats i pagats per l'administració colonial». Aquests funcionaris eren els adversaris més directes dels militants de l'FLN, que plantejaven –com deixen molt clar els escrits de Fanon– no tan sols acabar amb la dominació de França sobre Algèria, sinó també la superació de la mentalitat colonial i del passat algerià [20]

El radicalisme de l'FLN ajuda a explicar el paper molt visible que se'ls hi va donar a les dones en el moviment, però no en la direcció –una absència que presagiava el que vindria més endavant– sinó en la base, en les activitats militars (i terroristes). S'hi pot comparar al paper de les dones entre els militants sionistes, especialment en la Haganah, el braç militar del moviment sionista. (El Congrés Nacional Indi no tenia braç militar, però per mor de la simetria, apuntaré que Nehru es vantava del fet que els moviments polítics i socials del Congrés havien arrossegat «centenars de milers de dones de classe mitjana... a l'activitat política» per primera vegada).[21] Posar dones en llocs destacats no era cap afront als opressors francesos, però sí que s'enfrontava a l'opressió interna de la tradició religiosa d'Algèria. Fanon en feia un tema central, amb la seua gran expressivitat: «L'home militant descobreix

19 Clifford Geertz, *Islam Observed: Religious Development in Morocco and Indonesia* (Chicago: University of Chicago Press, 1971), 65; Laremont, *Islam and the Politics of Resistance,* 188.
20 «Plateforme de la Soummam», 24. Per a una caracterització (una mica exagerada) de la resistència musulmana a la dominació francesa a partir de 1830 i una crítica a Fanon per no haver-ne fet cap referència, vegeu Fouzi Slisli, «Islam: The Elephant in Fanon's *The Wretched of the Earth*», *Critique: Critical Middle Eastern Studies* 17:1 (Spring 2008), 97-108. Vegeu així mateix B. G Martin, *Muslim Brotherhoods in 19th Century Africa* (Cambridge: Cambridge University Press, 1976), cap. 2.
21 Nehru, *Discovery of India,* 261.

la dona militant, i plegats obren noves dimensions per a la societat algeriana». I també: «La llibertat del poble algerià... s'identifica [a hores d'ara] amb l'alliberament de la dona, amb la seua entrada en la història». I de nou: «[En el moviment] la dona deixà de ser un mer complement de l'home. Es pot ben dir que les dones es desempallegaren dels lligams que els constrenyien amb el seu propi esforç».[22]

Aquest desempallegament va reeixir de manera brillant durant un temps, però com es pot veure en l'evolució recent de la política algeriana, finalment va fracassar. «Els missatges tan prometedors adreçats [a les dones] en el moment culminant de la batalla, ai las! —va escriure Alistair Horne en la seua història de la guerra d'Algèria, del 1977– no s'han acomplert encara plenament».[23] A hores d'ara sembla bastant clar que no es van acomplir de cap manera. Tot i que l'estatus polític de l'islam és encara debatut a Algèria, la seua autoritat cultural és sense cap mena de dubte més gran del que haurien pogut preveure els militants de l'FLN sobre el que passaria cinquanta anys després de l'«alliberament». I l'estatus social de les dones a l'Algèria d'avui, tot i que també és qüestió debatuda, es troba molt lluny del que aquests mateixos militants havien promès a les seues «germanes» en la dècada de 1950. L'FLN era una revolució en marxa; l'islam ressorgit és la contrarevolució.

Per dir la veritat, la retracció respecte del feminisme revolucionari començà poc després de la victòria de l'FLN el 1962, com apunta Horne, i fou confirmada amb el Codi de Família aprovat el 1984, malgrat l'oposició radical de moltes dones veteranes de la lluita d'alliberament, com Djamila Bouhired, que fou detinguda i torturada pels francesos quan intentava posar una bomba en un cafè durant la Batalla d'Alger. Bouhired fou una heroïna de la lluita d'alliberament (no per a mi, dit siga de passada) però políticament no tingué pes específic dins de l'FLN post-alliberament. La nova llei convertia en obligació legal per a la dona algeriana d'obeir el seu marit, institucionalitzava la poligàmia i negava a les esposes el dret de demanar el divorci fins que no hagueren renunciat a qualsevol demanda de pensió d'aliments.[24] Ara bé, els islamistes fanàtics que terroritzaren

22 Fanon, *Studies in a Dying Colonialism*, 59 n14, 107, 108. Per a la darrera citació he emprat la traducció de Horne a *Savage War of Peace*, 402.

23 Hore, *Savage War of Peace*, 403.

24 Martin Evans i John Phillips, *Algeria: Anger of the Dispossessed* (New Haven: Yale University Press, 2007), 126-38. Considereu, en contrast, la promesa de Fanon: «Totes aquestes restriccions [a la vida de les dones] seran desbaratades... per la lluita d'alliberament nacional». *Studies in a Dying Colonialism*, 107.

Algèria en la dècada de 1990 encara demanaven més restriccions en la vida quotidiana de les dones, com ara pel que fa al vestit, la mobilitat i la feina. L'imam Ali Belhadj, fundador i líder del Front Islàmic de Salvació (FIS), havia fet una crida a la reclusió de les dones a la llar, que no havien de d'abandonar «excepte en les condicions establertes per la llei». Zahia Smail Salhi, en un article publicat el 2003, escrivia: «L'assetjament ha estat implacable i insofrible, sobretot per a les dones que viuen soles o que es neguen a dur el vel al lloc de treball». Un pamflet del FIS advertia les dones que no havien d'usar «la paraula jueva 'emancipació' per atacar els valors islàmics dels seus avantpassats».[25] L'autor probablement havia oblidat que el terme emancipació havia estat un concepte central dels primers radicals de l'FLN.

L'emancipació fou també un concepte clau en el programa d'alliberament nacional indi, que si arribava el cas exigia un atac directe a la cultura religiosa i les pràctiques socials tant dels hindús com dels musulmans. En els debats sobre la Constitució índia, Rajkumari Amrit Kaur, una de les fundadores de la Conferència de les Dones de l'Índia, va demanar als ponents que l'article sobre llibertat religiosa inclogués la «supressió» de «mals» santificats religiosament com ara la *purdah*[*], el matrimoni d'infants, la poligàmia, les lleis desiguals quant a herències, la prohibició de matrimonis entre castes diferents i la consagració de noies als temples.[26] Kaur, que fou ministra de Sanitat al primer govern de Nehru, s'havia format a la Sherborne School for Girls de Dorset i a la Universitat d'Oxford. En molts aspectes era una dona occidental moderna i alhora una nacionalista índia i una pionera del feminisme. No cal dir que els mals no foren immediatament suprimits, tot i que el nou codi civil per als hindús, aprovat en la dècada de 1950, en declarava il·legals una bona colla.

Que un militant algerià fos francòfon i fins i tot francòfil no era gens estrany o excepcional. De la mateixa manera, a les organitzacions que varen confluir en 1885 per a formar el Congrés Nacional Indi hi predominaven els advocats,

25 Laremont, *Islam and the Politics of Resistance*, 206; Zahia Smail Salhi, «Algerian Women, Citizenship, and the 'Family Code,'» *Gender and Development* II:3 (Novembre 2003), 33 (quant a Salhi i el pamflet del FIS).

* La pràctica de la *purdah* consistia en la reclusió o l'ocultació de les dones, que no havien de ser vistes per estranys. (N. del t.)

26 Gary Jeffrey Jacobsohn, *The Wheel of Law: India's Secularism in Comparative Constitutional Context* (Princeton, N. J.: Princeton UniversityPress, 2003), 95.

periodistes i funcionaris anglòfons i anglòfils. Els artífexs de l'alliberament tenien moltes coses en comú amb els artífexs de l'opressió (que varen produir, segons els famosos articles de Marx sobre l'Índia, «la més gran, i per a dir la veritat, l'única revolució social que s'ha vist mai vist a Àsia»).[27] Els militants de l'alliberament han anat sovint a escola amb els opressors, els quals habitualment sostenen que representen una cultura més «avançada», en termes materials, intel·lectuals i militars. Moisès a Egipte n'és l'exemple clàssic; fou criat al palau del Faraó i certament estava més còmode amb l'elit egípcia que no amb el poble que finalment acabà encapçalant. Sigmund Freud afirmava que Moisès era realment un egipci; fos el que fos per naixement, culturalment era un home d'Egipte.[28]

L'educació dels alliberadors al país d'origen i en la cultura de l'opressor és un tema recurrent en la història de l'alliberament nacional. Nehru passà vuit anys en centres educatius britànics (Harrow; Trinity Colleg, Cambridge; i a les Inns of Court*) i de jove estava probablement més familiaritzat amb la història i la política de Gran Bretanya que no amb la història i la política de l'Índia. Ja a una edat avançada li va dir a l'aleshores ambaixador nord-americà, John Kenneth Galbraith: «Jo sóc el darrer anglès que governa l'Índia».[29] B. R. Ambedkar, l'advocat i intocable (*dalit*) que fou el primer ministre de Justícia de Nehru, obtingué un màster i un doctorat a la Columbia University i a la London School of Economics; també s'havia format com a procurador a Gray's Inn. Molts dirigents del Partit Comunista Indi havien estudiat a Anglaterra i rebien les instruccions de la Comintern [la Tercera Internacional] –en una paradoxal reproducció de les relacions colonials– a través del Partit Comunista de Gran Bretanya, els membres del qual mantenien lligams més estrets amb Moscou.[30]

Theodor Herzl, autor de *L'Estat dels jueus* [*Der Judenstaat*], era un altre líder nacionalista d'allò més típic. Amb una bona educació austríaca i més aviat escassa educació jueva, sabia molt més sobre altres nacions que sobre la seua pròpia i se

27 Shlomo Avineri, ed., *Karl Marx on Colonialism and Modernization* (Garden City, N.Y: Anchor Books, 1969), 93.

28 Sigmund Freud, *Moses and Monotheism* (Nova York: Vintage, 2010; ed. or., 1939).

* Les Inns of Court són a Anglaterra les associacions professionals d'advocats amb seu a Londres. Tots els advocats hi han de pertànyer; tenen funcions formatives I de supervisió dels seus membres. (N. del t.)

29 B. R. Nanda, *Jawaharlal Nehru: Rebel and Statesman* (Delhi: Oxford University Press, 1995), 263.

30 M. R. Masani, *The Communist Party of India: A Short History* (Nova York: Macmillan, 1954), 24-25.

sentia tan còmode amb la idea de l'estatalitat jueva perquè se sentia molt còmode amb gent que ja disposaven d'un Estat. Chaim Weizmann, el primer president d'Israel, estudià en universitats alemanyes i després aconseguí una bona posició com a investigador i professor a la Universitat de Manchester, on esdevingué políticament un anglòfil.

Frantz Fanon es formà com a metge i psiquiatre a França, on també estudià literatura i filosofia. Cap dels altres líders o intel·lectuals de l'FLN anà a escola a França, però gairebé tots assistiren als liceus francesos a Algèria i molts (Fanon també) serviren a l'Exèrcit Francès i al de la França Lliure, que era un altre tipus d'educació. Ben Bella va rebre la màxima condecoració militar francesa i un petó en cada galta que li va fer el general De Gaulle en persona.

Sovint els líders dels oprimits s'identifiquen amb una ideologia d'oposició al país imperial, com ara el marxisme en el cas d'alguns dirigents de l'FLN, el socialisme fabià de Nehru i el Congrés Nacional Indi (Winston Churchill simplement s'equivocava quan qualificà Nehru de comunista) o la social-democràcia d'Europa oriental en el cas de David Ben-Gurion i el Mapai, que fou el partit dominant dins del moviment sionista i posteriorment durant els tres primers decennis a Israel. Però el fet que una doctrina siga d'oposició a Anglaterra, per exemple, no la fa més familiar i coneguda a l'Índia. En aquest aspecte, també, els militants de l'alliberament nacional fan de transmissors d'idees que són en gran mesura desconegudes pel poble o per la majoria del poble al qual les transmeten.

Què poden dir-los els militants al poble, a la gent? Poden dir-los que estan oprimits perquè estan endarrerits, perquè són passius, viuen en la superstició i la ignorància, «aliens a la racionalitat científica moderna» (per dir-ho de nou en paraules de Nehru), perquè estan menats per individus que són els campions de l'adaptació, els còmplices de l'opressió. Els militants conreen l'esperança de la novetat i li donen cos en una de les ideologies modernistes: nacionalista, liberal, socialista o algun tipus de combinació de totes tres. Prometen il·lustració, coneixement científic i progrés material, però –cosa potser més important– també prometen la victòria sobre els opressors i una posició en peu d'igualtat al món. Atrauen, en particular, als joves (sovint ells mateixos són joves) i sovint demanen una ruptura radical amb la família i els amics i amb totes les formes d'autoritat establerta. Exigeixen un compromís total amb el moviment i de vegades fins i tot la incorporació

27

personal a una comunitat de vida (com el kibbutz sionista o la vila cooperativa gandhiana). Les velles maneres de fer han de ser rebutjades i superades, del tot i sense reserves. Però les velles maneres de fer són estimades per molts dels homes i dones que s'hi identifiquen, perquè són les seues. Aquesta és la paradoxa de l'alliberament.

II

Tanmateix, els alliberadors guanyen la partida. Dirigeixen una lluita genuïnament nacional contra els governants estrangers del seu poble. Sens dubte el poble simpatitza molt menys amb la cultura i la política dels seus governants que els mateixos alliberadors, i una vegada que una avantguarda de militants ha demostrat que la victòria és possible, molts homes i dones que no comparteixen la ideologia de l'alliberament s'afegeixen malgrat tot a la lluita. Els líders polítics i religiosos tradicionals són desplaçats o es retrauen (la passivitat és el seu estil) o se sumen als alliberadors, bo i acceptant un paper marginal. Qui se'n surt de la norma en aquesta explicació una mica esquemàtica és Mohandas Gandhi, que va reeixir a transformar la passivitat tradicionalista en una arma política moderna. No hi ha cap figura comparable en la història del moviment sionista o en l'FLN, al seu centre o al seu voltant, ni en cap altre moviment d'alliberament nacional que jo sàpiga. Fins i tot quan s'oposava obertament a les pràctiques i les creences hinduistes, Gandhi parlava al poble en un llenguatge religiós, que era del tot, o en gran mesura, aliè a la resta de líders dels moviments d'alliberament nacional. En 1934, per exemple, suggerí que un terratrèmol que s'havia produït a Bihar era un càstig diví pel pecat de la situació dels pàries o intocables. Nehru, que un dia participaria en la redacció d'una Constitució que abolia la condició dels intocables, trobà aquesta afirmació «esparverant». I va escriure: «Difícilment podríem imaginar res de més oposat a la perspectiva científica». De vegades, ens diu B. R. Nanda, fundador i primer director de la Biblioteca Memorial Nehru, «Gandhi li semblava a Jawaharlal una mena de 'sant catòlic medieval'».[31] El comentari revela les referències culturals que orientaven els raonaments polítics de Nehru (és clar que podria haver trobat una caracterització més local de Gandhi). Els dos homes s'ho varen arranjar per a treballar conjuntament, però en la seua col·laboració fou fonamental

---

31 Nanda, *Nehru*, 32.

el fet que Gandhi designés Nehru, el secularista i modernista, com a successor polític.

Ara bé, els secularistes i modernistes culpen encara Gandhi de la sorprenent força del nacionalisme religiós a l'Índia alliberada. Així ho apunta V.S. Naipaul:

> El drama que s'escenifica a l'Índia d'avui és el drama que va produir [Gandhi] fa seixanta anys... Gandhi donà a l'Índia una política; també invocà les seues arcaiques emocions religioses. Va fer que l'una servís l'altra, i promogué un desvetllament. Però a l'Índia independent, els elements d'aquest desvetllament es neguen l'un a l'altre. Cap govern pot sobreviure amb la fantasia gandhiana; i ... l'espiritualitat, el recer d'un poble conquistat, que Gandhi va transformar en una forma d'afirmació nacional, s'ha traduït en nihilisme amb una intensitat sense precedents.[32]

Aquest retret fou escrit a finals de la dècada dels 70. En aquell temps els intel·lectuals d'esquerres indis eren encara més crítics amb el llegat gandhià. Tornaré als seus arguments en el tercer capítol d'aquest llibre.

A Israel i Algèria, la transició de l'alliberament nacional al reviscolament religiós s'esdevingué sense el paper de mediació d'una figura com Gandhi, tot i que potser Mohandas fou menys central a l'Índia –en aquest aspecte– del que imaginen els seus crítics. Hi ha bons motius per a pensar que encara que Gandhi no hagués inspirat i encapçalat el moviment d'alliberament, l'Hindutva –la ideologia de la hinduïtat– hauria tingut una poderosa presència en la política índia. Però aquesta història l'inclou sense cap mena de dubte, fins al punt que no s'entén gaire sense la seua actuació o la d'alguna figura com ell. No vull dir que altres dirigents de l'alliberament no foren proclius a fer servir un llenguatge religiós. Els escriptors sionistes no en serien un exemple particularment destacat, però no s'estaven d'invocar la geografia sagrada dels textos bíblics, i l'esperança d'un «retorn dels exiliats» era la versió secular d'una esperança messiànica. A Algèria, la primera revista de l'FLN es va dir *El Moudjahid* (tot un tràngol per a Fanon, que va explicar als seus lectors que aquell nom «originàriament» significava un guerrer musulmà que feia la guerra santa, però que ara només significava un «lluitador») i la bandera de l'FLN era de color verd i blanc, i ja se sap que el verd és el color

32 Naipaul, *India*, 159.

tradicional de l'islam.[33] Allò que unia els àrabs i berbers que reaccionaven contra l'assimilació, escriu John Dunn al seu *Modern Revolutions*, «era el vincle comú de l'islam sota la pressió de l'ocupació colonial».[34] L'islam, en efecte, establia una clara línia de demarcació entre els algerians nadius i els colonitzadors europeus: «L'única cosa que l'elit colonial no era i, deixant de banda uns quants casos ambigus, no podia arribar a ser», escriu Geertz, «era ser musulmana».[35] Els militants algerians insistien en el seu respecte cap als «principis islàmics», i així, per exemple, varen prohibir el consum d'alcohol al si de l'FLN i, allà on podien, entre la gent en general. Ara bé, ni l'estratègia ni la tàctica ni l'agenda política a llarg termini dels militants estaven particularment influïdes per la religió del seu poble. Fins i tot els sionistes pretenien construir un Estat «normal», no redemptor. Gandhi en va ser una excepció, i de molta entitat.

Així doncs, què passà? Els tradicionalistes semblava que havien estat derrotats o bé marginats; l'aura de l'alliberament no els incloïa; no tenien gaire influència en la configuració dels acords constitucionals, l'economia o el sistema educatiu dels nous estats; no tenien en general un gran contacte amb les noves elits polítiques. La història és més complicada a Algèria, on l'autoritarisme polític naixent al si de l'FLN (tot i que amb l'oposició de diversos dirigents) triomfà ben aviat. El règim d'esquerra radical de Ben Bella durà només tres anys i fou substituït per una dictadura militar de tipus més tradicional. Huari Boumedian, que derrocà Ben Bella el 1965, no era evidentment un francòfil. S'havia format en escoles islàmiques a Algèria i havia estudiat durant set anys a la Universitat El Azhar del Caire.[36] Però els líders polítics que més admirava eren Fidel Castro i Tito; va promoure una economia socialista, que havia estat sempre al programa de l'FLN i va dur a terme una forma de política que, tot i que socialment conservadora (en qüestions com ara l'estatus de les dones), a la generació següent de musulmans algerians els va semblar que havia estat d'un secularisme radical. Així doncs, ¿com es varen mantenir o de quina manera es varen inventar l'islam polític o les versions polítiques de l'hinduisme i el judaisme al nou món de l'alliberament?

33 Home, *Savage War of Peace*, 133; Fanon, *Studies in a Dying Colonialism*, 160 n 11.

34 John Dunn, *Modem Revolutions: An Introduction to the Analysis of* a *Political Phenomenon* (Cambridge: Cambridge University Press, 1972), 161.

35 Geertz, *Islam Observed*, 64.

36 Home, *Savage War of Peace*, 327.

La història és diferent en cadascun dels casos considerats. Però hi ha també trets comuns. N'hi ha que són més aviat laterals quant al que ens interessa ací, però potser també cabdals de cara a una explicació causal plena. Els militants dels partits que arribaren al govern –el Congrés, el Mapai i l'FLN– no tingueren oposició seriosa durant els primers anys dels nous estats i esdevingueren complaents i menys exigents. Els seus successors foren sovint oportunistes, més interessats en el poder i les seues recompenses que en l'alliberament. De fet, la corrupció sembla que segueix la mateixa cronologia, en termes generals, que el reviscolament religiós. I els animadors d'aquest reviscolament no són només fanàtics, sinó també íntegres (almenys fins que arriben al poder). Hom podia haver esperat que un Congrés Nacional Indi ja una mica esgotat i complaent es trobaria, diguem-ne, amb l'oposició de forces a la seua esquerra, però en la mateixa clau d'alliberament, com ara els socialistes J. P. Narayan o Asoka Metha.[37] Al principi semblava que el Partit Socialista seria un aspirant seriós al poder a l'Índia, però va fracassar com a oposició, potser per les mateixes raons que el Congrés es va desgastar al govern. El desafiament molt seriós amb què es trobaren tots dos vingué de l'impuls militant hinduista. També a Israel i a Algèria les oposicions d'esquerres foren substituïdes per nacionalistes i fanàtics religiosos. Per què?

A tots tres països la religió continuà sent una força molt present en la vida quotidiana durant els anys de l'alliberament i després. Sovint els líders nacionalistes comprovaren que la religió els podia ser d'utilitat de cara al seu propòsit polític immediat, que era mantenir la unitat de la lluita anticolonial en les condicions del nou estat. Tot i que potser a un petit grup de militants ja els hauria agradat organitzar una ofensiva contra la religió de tipus bolxevic, els nous governants no gosaren fer res d'això. Potser l'exemple rus era ja una advertència contra les temptacions d'un secularisme totalitzador. En qualsevol cas, estaven convençuts que la decadència era el destí de totes les religions; allò que Nehru anomenava la «perspectiva científica» estava clar que triomfaria. La secularització no tenia cap necessitat de coerció radical i, a més, admetia compromisos temporals, perquè era una tendència històrica inevitable. Nehru va escriure a *The Discovery of India*: «Alguns hinduistes somien

---

37 Sobre el que era, a grans trets, l'oposició d'esquerra al Congrés, vegeu Asoka Mehta, «Democracy in the New Nations», *Dissent* 7 (estiu 1960), 271-78.

amb tornar al temps dels Vedes, i alguns musulmans somien amb una teocràcia islàmica. Són fantasies d'uns quants, perquè no hi ha marxa enrere cap al passat... El Temps avança només en una direcció».[38] La perspectiva sionista era sorprenentment similar, com escriu l'historiador Ehud Luz: «Pràcticament tota la intel·ligèntsia sionista compartia la convicció que la religió jueva... estava destinada a desaparèixer prompte o tard, perquè entrava en contradicció amb les necessitats de la vida moderna».[39]

Això és més o menys el que tots –tant els científics socials com els activistes polítics– crèiem en aquells anys i molts anys després. O és el que creia la majoria de nosaltres, en tot cas. Clifford Geertz, que havia estudiat els moviments nacionalistes a Indonèsia i al món àrab i l'obra del qual sobre l'islam ja he citat, pensava d'una altra manera. Escrivint sobre la religió a Bali, al nou estat d'Indonèsia a començament de la dècada de 1960, plantejava que les creences religioses podien ser desplaçades per les «modernes idees materialistes», però probablement això no passaria. Perquè «aquesta mena de transformacions globals, quan no són simplement un miratge, operen sovint sobre configuracions culturals profundament arrelades amb uns efectes, fet i fet, de molta menor entitat d'allò que havíem considerat possible». I afirmava també que «avui a Bali alguns dels processos socials i intel·lectuals que donaren lloc a les grans transformacions religioses de la història sembla que, almenys, han començat a donar-se».[40] En altres llocs, a més, la marea o potser la tempesta de l'alliberament nacional havia passat per damunt de societats antigues i nacions renascudes amb un efecte «més aviat escàs» en relació al que havien esperat els militants dels moviments d'alliberament, i els processos que, arribat el moment, menarien al reviscolament religiós ja s'havien encetat, davant dels ulls dels mateixos militants però sense que ells se n'adonaren.

Les antigues maneres de fer, els antics costums, tenien com a punts de suport els temples, les sinagogues i les mesquites, però també –i cosa potser més important encara– les relacions interpersonals, les famílies i les celebracions del cicle de vida, on els comportaments que hi alenaven eren amb prou feines

38 Nehru, *Discovery of India*, 579.
39 Ehud Luz, *Parallels Meet: Religion and Nationalism in the Early Zionist Movement (1882-1904)* trad. Lenn J. Schramm (Filadelfia: Jewish Publication Society, 1988), 287.

40 Clifford Geertz, *The Interpretation of Cultures* (Nova York: Basic Books, 1973), 189.

LA PARADOXA DE L'ALLIBERAMENT

visibles per a uns militants seculars enormement enfeinats amb els grans projectes de modernització. De fet, els reviscolaments de tipus religiós que vindrien es varen nodrir del ressentiment que la gent normal i corrent, que mantenia els vells costums, anava covant envers aquestes elits secularitzadores i modernitzadores, amb les seues idees de forasters, actituds clientelars i grans projectes. També es varen nodrir, encara més, de la política autoritària o paternalista que hagueren d'impulsar les noves elits en la seua guerra contra les antigues maneres de fer. Alguns dirien que l'autoritarisme no és que l'hagueren d'impulsar, sinó que era connatural a aquestes noves elits: la seua idea de la modernitat, escriu Ashis Nandy, un crític del secularisme nehrunià, donà als seus protagonistes «un accés aparentment merescut però desproporcionat al poder de l'Estat».[41]

L'autoritarisme de l'Estat algerià amb Boumedian fou particularment brutal; de fet, la política de l'FLN abans de l'alliberament ja era mortífera– fins al punt d'arribar a una vertadera guerra civil entre l'FLN i el Moviment Nacional Algerià de Mesali Hadj (on molts dels líders de l'FLN s'havien format políticament), en la qual foren morts uns deu mil algerians.[42] En contrast amb això, el Congrés Nacional Indi i els sionistes laboristes estaven compromesos amb la democràcia i majoritàriament resolgueren les tensions internes per procediments no violents. Però també els líders d'aquests moviments, una vegada arribats al poder, el varen exercir amb la forta convicció que ells sabien el que era millor per als seus pobles, endarrerits i sovint recalcitrants.

Aleshores l'endarreriment retornà i la democràcia que els alliberadors havien creat (fins i tot a Algèria, breument, de 1989 a 1991) fou l'instrument principal d'aquest retorn. «La crisi actual de la democràcia liberal [a l'Índia] –escriu el politòleg Rajeev Bhargava– es deu en bona part al seu èxit». Homes i dones religiosos, prèviament passius i dispersos, es varen fer presents a l'espai públic recentment creat en quantitats que «superaven àmpliament» el nombre dels integrants «de la prima closca externa que havia dirigit el moviment nacional». La política democràtica encoratjava «la mobilització política etnoreligiosa i els homes i dones mobilitzats «no procedien

41 Ashis Nandy, «The Twilight of Certitudes: Secularism, Hindu Nationalism, and Other Masks of Deculturation», *Alternatives: Global, Local, Political* 22:2 (abril-juny 1997), 163.

42 Laremont, *Islam and the Politics of Resistance*, 112.

d'un marc cultural on els trets liberals o democràtics foren gaire pronunciats».[43]

Però no fou el vell endarreriment allò que aquesta gent, o els polítics que seguien, va fer retornar. Com ja he apuntat, la religió es feia present ara en formes militants, ideològiques i polititzades: modernes fins i tot en el seu antimodernisme. Els seus protagonistes pretenen que encarnen les tradicions antigues, la fe dels avantpassats, fins i tot que en representen una versió pura i autèntica; l'antiguitat és el seu mantra. I per bé que aquesta pretensió és falsa, l'antiguitat s'ha de considerar, si més no en part, inherent a l'atractiu del seu programa. Connecten el poble alliberat amb el seu passat més pregon, aporten un sentiment de pertinència i estabilitat enmig d'un món que canvia ràpidament. Havent marxat els vells opressors imperials, subministren també uns «altres» fàcils d'identificar, fins i tot familiars, com a objectes de la por o l'odi, als quals se'ls pot acusar de tot el que ha anat malament des del dia de l'alliberament. De vegades aquests «altres» són membres d'una religió rival; de vegades són esquerrans, secularistes, heretges i infidels «occidentalitzadors», és a dir, traïdors al poble, com se'ls arribaria a anomenar.

Però, què se'n va fer de la nova realitat índia, israeliana, algeriana? ¿On són els nous homes i dones, amb un fort sentit de la igualtat, gent desperta i recta, alta i llesta? No estic gens segur de quina en pot ser la resposta. Hi ha un munt de gent així –l'alliberament nacional penetrà ben endins, més enllà de la prima closca exterior– però enlloc no en van ser tants, ni de bon tros, com els alliberadors esperaven. La cultura de l'alliberament sembla que era massa prima per a fornir una base sòlida a aquest tipus de gent i permetre'ls una reproducció escaient. El rebuig radical del passat va deixar, per dir-ho així, massa poc material per a la construcció cultural. Els alliberadors varen instaurar un seguit de festivitats, varen promoure un conjunt d'herois, un conjunt de rituals commemoratius; varen inspirar cançons i danses; varen escriure novel·les i poemes (compareu-lo amb la Revolució Francesa i el seu nou calendari, el reviscolament neoclàssic, les seues festes i espectacularitat). Durant un temps, sembla que bona cosa de gent es va identi-

43 Rajeev Bhargava, *The Promise of India's Secular Democracy* (Nova Delhi: Oxford University Press, 2010), 253, 261. Considereu, en contrast, el punt de vista d'Ashis Nandy: «Això és una altra manera de dir que la demo-cratització mateixa ha posat límits a la secularització de la política índia». «An Anti-secularist Manifesto», *India International Centre Quarterly* 22:1 (primavera 1995), 42.

LA PARADOXA DE L'ALLIBERAMENT

ficar amb tot això, de manera que era com a mínim plausible creure en el nou començament. Però el nou era massa artificial, de factura massa propera en el temps, i després d'un parell de generacions, els herois perdien l'aura, les commemoracions perdien l'encís, i la gent jove se n'apartava i cercava una alternativa en les excitacions de la cultura pop global o en el fervor del reviscolament religiós. L'atracció de la cultura pop era sens dubte decebedora per als militants ja d'edat avançada de l'alliberament nacional, però la seua decepció més gran, la seua màxima sorpresa, fou el gran nombre d'homes i dones joves que se sentien atrets per les ideologies de l'Hindutva, el sionisme messiànic i el judaisme ultraortodox, o l'islam radical. No era ben lògic que se'n sorprengueren? Filles de dones que s'havien auto-desarrelat, cosa que Frantz Fanon havia celebrat, es re-arrelaven per voluntat pròpia i retornaven a una fe religiosa que –almenys als seus ulls laics– era tan misògina com sempre. No era increïble?

Sospite que al cap i a la fi sí que era creïble. És justament el tipus de qüestió que la ciència social diu que és capaç d'explicar o, com a mínim, d'entendre. Els autors marxistes, compromesos amb una explicació científica, tracten d'identificar la classe social als interessos materials de la qual podria servir el reviscolament religiós. En un recent estudi sobre «els discursos d'esquerra a l'Índia contemporània» hi trobem diversos autors que atribueixen la força actual de l'Hindutva a la petita burgesia (el clàssic candidat marxista) però també als pagesos rics, als pagesos pobres, al lumpenproletariat, als obrers de ciutat, als vells bramans i als nous capitalistes. Em suscita una certa simpatia un comentari desesperançat que aparegué al setmanari d'esquerres *Economic and Political Weeckly* el 1993: «Independentment de les dificultats analítiques que planteja reduir una ideologia a la seua base material, si no postulem... aquesta relació epistemològica, el resultat n'és una mena d'agnosticisme políticament afeblidor». Tanmateix, o bé la reducció no funciona o li cal més aprofundiment. Dos anys després el mateix autor, a la mateixa revista, escrivia que l'Hindutva no és només «una eina de caràcter instrumental per a la protecció d'un interès material... Per damunt i per davall d'això, és un conjunt de valors, actituds, i normes de comportament que només pot ser contrarestat amb valors i normes alternatius».[44]

44 Devesh Vijay, *Writing Politics: Left Discourses in Contemporary India* (Mumbai: Popular Prakashan, 2004), 157, 158; l'autor citat és K. Balagopal.

Aquest reconeixement em sembla que és el començament de la comprensió. No deixaria de banda la cerca d'una base material. Els autors marxistes tenen raó quan miren d'identificar quin tipus de gent és més probable que es beneficien d'allò que V.P. Varma assenyala com l'objectiu central del reviscolament de l'hinduisme: «la restauració dels principis vèdics [que requereixen] l'organització funcional de la societat».[45] Els beneficiaris evidents en són les antigues elits, les castes superiors, els nous capitalistes, i els personatges de tipus patriarcal presents arreu, a la família, a les comunitats locals i a l'Estat. Ara bé, cal reconèixer l'atractiu populista del reviscolament, el poder romanent de l'antiga religió tant al cim com a baix de tot de la jerarquia social. Sense aquesta capacitat d'atracció el reviscolament religiós no seria de cap utilitat per als bramans, els capitalistes o els patriarques. Contrarestar el reviscolament amb un conjunt de valors i normes alternatius, però, no és tan fàcil. I fer-ho *ex nihilo* sembla gairebé impossible.

I tanmateix, el cas és que potser els militants de l'alliberament nacional, com tots els revolucionaris, han d'insistir en una negació cultural radical –en paraules d'Ambedkar, en la «completa destrucció del bramanisme... com a ordre social»– i per tant en la innovació radical.[46] Potser això és el caràcter essencial o necessari del seu projecte. Fa anys, quan escrivia sobre la revolució puritana a Anglaterra, vaig trobar un sermó pronunciat a la Cambra dels Comuns el 1643 que expressa un sentiment compartit per tots els revolucionaris a tot arreu: «Guardeu-vos d'edificar damunt del vell edifici», advertia el predicador als parlamentaris, «que hauria de ser enderrocat fins als fonaments. Guardeu-vos d'afegir-hi pedaços, perquè el que s'ha de fer és enfonsar-lo».[47] La dificultat d'aquesta proposta radical de demolició és que no els fa tant de goig als qui habiten a l'edifici; hi estan massa avesats, fins i tot si reconeixen i lamenten les seues incomoditats. Potser el que cal és un enderrocament parcial i una renovació de la resta –una renovació, ben entès, de valors i normes.

Certament, hi havia intel·lectuals als moviments d'alliberament nacional que s'estimaven més un cert compromís amb la vella cultura que no un atac total en contra d'aquesta. M'agradaria pensar que si hagueren guanyat, la història po-

---

45 Jacobsohn, *Wheel of Law,* 235.
46 G. Aloysius, *Nationalism without a Nation in India* (Nova Delhi: Oxford University Press, 1998), 208.

47 Michael Walzer, *The Revolution of the Saints* (Cambridge, Mass.: Harvard University Press, 1965), 177.

dria haver-se descabdellat d'una altra manera. Els alliberadors podrien haver fet les paus amb almenys una part del passat de la seua nació, podrien haver afaiçonat un conjunt de creences i pràctiques que serien noves però també familiars, i podrien haver evitat l'extremisme del reviscolament religiós. Potser. Argumentaré en favor d'una cosa semblant a això, però és millor començar amb una mica d'escepticisme. Alguns comentaristes insisteixen en què el compromís mai no fou possible i posen les seues esperances en la dialèctica: primer ve la política del refús secularista radical, després la política de la reafirmació religiosa militant, i després —com diu l'*Oxford English Dictionary*— «la contradicció es fon... en una veritat superior que inclou totes dues». Tanmateix, sembla que la dialèctica no està funcionant aquesta temporada de la manera que acostumava. No veig gaires símptomes de l'adveniment d'una síntesi. A l'Índia, Israel i Algèria —i probablement en altres llocs— la lluita que els alliberadors pensaven que havien guanyat encara és l'hora que s'ha de guanyar. L'alliberament secular no ha estat derrotat, però es veu sotmès a desafiaments d'un caire inesperat i amb una força també inesperada. La contesa prosseguirà durant força temps i el seu desenllaç és tan incert com ho era a l'inici. Com els israelites antics, els militants moderns creuen que han arribat a la terra promesa, només per a descobrir que s'havien emportat Egipte al seu equipatge.

37

2. Il·lustració de la paradoxa. Sionisme *versus* judaisme

I

El sionisme és una de les històries reeixides de l'alliberament nacional al segle XX. La primera generació de líders sionistes havia proposat una solució a la «qüestió jueva» que pràcticament la totalitat de jueus i no-jueus realistes del món va considerar impossible de dur a terme. La segona generació la va fer realitat. La realització, però, arribà massa tard per a la majoria dels jueus d'Europa, i es va veure enfosquida per la catàstrofe més gran de la història jueva. Tanmateix, el sionisme va assolir l'objectiu inassolible que Theodor Herzl li havia marcat, i ho va fer dins del termini de cinquanta anys que havia previst.

Vist en perspectiva històrica, Israel és una sorpresa molt més gran que l'Índia o Algèria, nacions aquestes que foren alliberades, com qui diu, a lloc. El moviment sionista, nascut a l'exili, aconseguí establir un estat sobirà en allò que Herzl anomenà una «vella-nova terra», habitada principalment per àrabs i colonitzada pels turcs otomans i els britànics. Avui l'autodeterminació jueva, impossible durant quasi dos-mil anys, és un fet normal i quotidià. Així, doncs, per què no és això el punt i final? Tot el que hi passa després de la independència és «post-sionista». A hores d'ara, del que cal parlar és de l'alliberament nacional palestí.

Però la victòria sionista és molt més complicada del que suggereix aquest breu report, i és complicada en bona part en el mateix sentit que les victòries assolides pel Congrés Nacional Indi i l'FLN algerià. El sionisme no és èxit complet; el seu projecte d'alliberament encara no s'ha consumat del tot. El que he anomenat en el primer capítol la paradoxa de l'alliberament nacional té la seua versió específicament jueva, que és el tema del present capítol.

Imaginem que un grup de «fundadors» sionistes es retroben a l'Israel d'avui en un congrés per a debatre sobre la història del moviment. Hi assistirien uns pocs *Bilu'im*, els primers que

39

s'hi assentaren; alguns sionistes culturals, seguidors d'Ahad Ha'am, s'afegirien al debat; representants del sionisme herzlià o sionisme polític també s'hi farien, per descomptat, presents, com també una delegació de la Fracció Democràtica de Chaim Weizmann; els primers socialistes, els Sionistes Laboristes de la Segona Aliyah, el futur grup hegemònic, hi tindrien una presència nodrida; i també hi assistirien uns quants rabins Mizrahi, la minoria ortodoxa que va donar suport al projecte sionista.[1] Em fa l'efecte que molta d'aquesta gent no estaria gens convençuda que les seues esperances s'han realitzat plenament. L'estat tal com existeix avui no coincideix amb la seua visió; fins i tot els sionistes polítics –dels quals es diu sovint que no volien cap altra cosa que un estat, qualsevol estat, el que fos– tenien en ment un tipus particular d'estat, i Israel no és exactament aquest tipus d'estat. Tampoc és el tipus d'estat que tenien en ment els rabins Mizrahi, però he de posar l'accent en les expectatives i les decepcions dels altres, perquè el sionisme fou, en el seu nucli i en els anys dels grans assoliments, de manera aclaparadora, un projecte secular. Això és el que fa tan interessant la seua relació amb el judaisme. Val la pena, al meu entendre, observar de prop aquesta relació i considerar-la com un cas especial de la tensió interna o de la contradicció que es fa present també en les històries de l'alliberament nacional a l'Índia i Algèria... i a Palestina. Aquest darrer cas es tornarà a plantejar, perquè Palestina té ja ara, abans d'aconseguir la condició estatal, la seua pròpia història de nacionalisme secular i de reviscolament religiós.

II

La versió jueva d'aquesta història comença amb l'exili. Al llarg de gairebé dos mil·lennis, un lapse de temps que a la nostra imaginació li costa bastant d'assimilar, el poble d'Israel, sense estat i dispers, desenvolupà una cultura religiosa/política adaptada a aquesta mateixa situació de manca d'estat i de dispersió. No sé quant de temps trigà a desenvolupar-se una cultura d'aquesta mena. Podem trobar signes molt primerencs d'adaptació, com en la famosa carta de Jeremies als exiliats a Babilònia, que té l'origen en torn a l'any 587 abans de Crist (el profeta hi parla, com sempre, en nom de Déu): «Construïu cases i habiteu-hi, planteu horts i mengeu-ne els fruits... Pro-

1 Sobre els primers sionistes, vegeu David Vital, *The Origins of Zionism* (Oxford, U.K.: Clarendon Press, 1975).

cureu el bé de la ciutat on us he deportat i pregueu per ella al Senyor; perquè del seu benestar en depèn el vostre».[2] Ara bé, la construcció social de l'exili com la condició jueva prototípica va costar molts segles; és una construcció molt poderosa. És l'arquitectura profunda de la vida jueva. El judaisme a finals del segle XIX, quan va nàixer el sionisme, era una religió d'exili. L'anhel de retorn a la pàtria perduda feia molt de temps formava una part important d'aquesta religió; la idea de la independència política no hi tenia cap paper. El poble jueu havia oblidat, va escriure Leo Pinsker a *Auto-Emancipació*, el que és la independència política.[3]

La política d'exili, o exílica, tenia només dos trets. Primer, els jueus se sotmetien al govern dels gentils; practicaven una política de deferència. Segon, esperaven pacientment la redempció divina; practicaven una política d'esperança ajornada. Per descomptat que es pot dir molt més sobre l'experiència política dels jueus, però aquest dualisme és el que es reflecteix en la seua llei i en la seua literatura. La submissió jueva havia de durar fins l'adveniment del Messies, l'adveniment del Messies estava en mans de Déu i semblava que quedava posposat indefinidament.[4] Deferència i ajornament: els mots i les pràctiques que requeria aquesta política (o antipolítica) havien de ser reinventades en cada nou emplaçament de la Diàspora. Ara bé, les invencions no eren de cap manera improvisades; tampoc seria encertat dir que la política de l'exili fos acceptada a contracor. Era la política natural dels jueus als ulls dels mateixos jueus, la conseqüència necessària –així es pensava de manera general– del lloc que Déu els havia assignat en la història universal.

De tot plegat se'n segueix, així doncs, que qualsevol esforç polític adreçat a fugir de l'exili, qualsevol nacionalisme que es proposés com a objectiu l'estatalitat i la sobirania, havia de ser obra de gent que rebutjava aquesta assignació divina i trencava amb la cultura de la deferència i l'ajornament. Però

2 Jeremies 29:4-7. Això prové de la traducció de la New Jewish Publication Society; la versió de la Bíblia del Rei Jaume (King James Version) diu: «seek the peace of the city... for in the peace thereof shall ye have peace». [«Cerqueu la pau de la ciutat... perquè en aquesta pau tindreu pau». La traducció reportada al text és la de la *Bíblia Catalana. Traducció interconfessional*, 1994, n. del t.]. Al llibre d'Ester s'hi troba una descripció molt primerenca però penetrant de la política d'exili.

3 Leo Pinsker, *Road to Freedom: Writings and Addresses*, ed. B. Netanyahu (Westport, Conn.: Greenwood Press, 1975), 76.

4 Sobre l'ajornament de l'esperança, vegeu Gershom Sholem, *The Messianic Idea in Judaism* (Nova York: Schocken, 1971), cap. 1.

com que aquesta cultura era una part cabdal del judaisme tal com existia al segle XIX, el sionisme fou la creació de gent que era hostil al judaisme, i només podia ser això. Si calia, estaria disposat a matisar de moltes maneres aquesta afirmació, però en la seua forma despullada, sense matisar, ajuda a entendre un objectiu d'una importància absolutament essencial del sionisme: la «negació de l'exili». Cosa que no és el mateix que la fi de l'exili. Òbviament, els sionistes volien posar fi a l'exili, però també creien –o molts d'ells creien– que posar fi a l'exili no seria possible sense «negar» primer les predisposicions i els hàbits culturals, la mentalitat, de l'exili. «Absolutament tot –va escriure Albert Memmi– es troba paralitzat, emmordassat i inhibit» per aquesta mentalitat.[5] Per tal de fugir de l'exili els jueus havien de superar la seua adaptació de segles i segles a la captivitat entre els gentils. El nom d'aquesta adaptació era «judaisme».

Superar la mentalitat d'exili era un projecte que podia trobar suport al si del món jueu; ara bé, els seus defensors més destacats i reeixits foren jueus que s'havien assimilat al món dels seus opressors i que veien el seu propi poble amb ulls aliens o distanciats, cosa que era completament lògica. Theodor Herzl, un líder nacionalista exactament d'aquest tipus, volia que els jueus tingueren un estat semblant a qualsevol estat europeu. El somni sionista de normalitat, que es remunta a la petició dels ancians d'Israel que es troba al Primer Llibre de Samuel 8 –«Volem tenir un rei, volem ser com les altres nacions»-, nasqué de la persecució i la por, però tenia també altres dues fonts intel·lectuals, ambdues en forta oposició a la cultura d'exili jueva. La primera era un coneixement molt directe d'altres nacions. La segona, el convenciment que la imitació d'aquestes altres nacions era possible i també desitjable. De fet, Herzl imitava les idees europees més progressistes, especialment pel que fa a l'estatus de les dones. En la seua utopia sionista, *La vella nova terra* [*Altneuland*] (1902), les dones tenien «drets iguals» que els homes i estaven obligades, com els homes, a fer dos anys de servei nacional.[6] Herzl no plantejava explícitament aquesta igualtat contra l'exclusió de les dones de qualsevol paper o funció pública, pròpia del judaisme tradicional, però era sens dubte un desafiament a la tradició.

5 Albert Memmi, *The Liberation of the Jew,* trad. Judy Hyun (Nova York: Viking Press, 1973), 297-98.

6 Theodor Herzl, *Old-New Land* («*Altneuland*»), trad. Lotta Levensohn (Nova York: Bloch, 1941), 79.

Líders com Herzl i Max Nordau, el seu seguidor intel·lectual més destacat, no tenien reserves, ni cap angoixa, pel que fa a la negació de l'exili. Res en la seua experiència els suggeria que el que negaven contenia quelcom de valuós. Tenien pocs lligams sentimentals amb el vell estil de vida –que Herzl va anomenar «dos mil anys de malaltia hereditària».[7] Potser això fou precisament la clau de la seua efectivitat: anaven de dret a l'assoliment dels seus objectius.

Però aquesta mateixa alienació del poble que es proposen alliberar pot fer anar de mal borràs els líders d'un moviment d'alliberament nacional, com suggereix l'episodi d'Uganda en el cas de Herzl. La història és probablement ben coneguda, i n'hi haurà prou de parlar-ne a grans trets.[8] Començà en 1903 quan un funcionari colonial britànic plantejà que, en comptes de Palestina, hi havia una àmplia zona de territori a Uganda que podia servir per a l'assentament dels jueus. Herzl estava predisposat a acceptar l'oferiment, que representava el primer reconeixement oficial del moviment sionista com a subjecte d'una reclamació territorial; sembla que no se n'adonava massa de l'oposició que aixecaria. Els líders sionistes més propers al seu poble van entendre de seguida, instintivament, que això era dur la negació un pas massa lluny. Per desesperada que fos la situació dels jueus (el debat sobre la proposta d'Uganda es produí immediatament després del pogrom de Kishinev, a Rússia), un nacionalisme específicament jueu només podia tenir un país com a destinatari, Eretz Yisrael, la Terra d'Israel Aquests líders, la majoria jueus russos, volien agrair l'oferiment britànic, però rebutjar-lo tot seguit –cosa que va succeir al cap de tres o quatre anys, després de la mort de Herzl.

La idea d'assentar jueus a Uganda sota l'administració britànic era, curiosament, massa radical i massa conservadora alhora. El seu radicalisme atreia (alguns) sionistes secularistes i socialistes, que temien que la mística de la Terra d'Israel faria més difícil la tasca de transformació cultural o fins i tot que la faria del tot impossible. Anys abans, un destacat defensor de la Il·lustració jueva, Judah Leib Levin, havia argumentat contra l'assentament a Palestina (preferia Amèrica) en aquests ter-

7 Shmuel Almog, *Zionism and History: The Rise of a New Jewish Consciousness*, trad. Ina Friedman (Nova York: St. Martin's Press, 1987), 98, que cita un article escrit per Herzl en 1899.

8 En els comentaris a propòsit de la controvèrsia d'Uganda m'he basat àmpliament en Ehud Luz, *Parallels Meet: Religion and Nationalism in the Early Zionist Movement (1882-1904)*, trad. Lenn J. Schramm (Filadelfia: Jewish Publication Society, 1988), cap. 10, i en Almog, *Zionism and History*, cap. 4.

mes: «Em preocupaven els ortodoxos i temia els rabins perquè en l'ambient d'*Eretz Yisrael*, saturat d'antics prejudicis... els *maskilim* [els intel·lectuals il·lustrats] serien incapaços de fer valdre la seua influència».[9] Hillel Zeitlin va exposar de manera encara més enèrgica l'argument durant la controvèrsia sobre Uganda, i ho va fer en uns termes que ressonen encara avui: «La mateixa tradició que ens aclapara en la Diàspora ens aclaparará mil vegades més a *Eretz Yisrael*, perquè aquest n'és el fogar. La dominació rabínica sobre les masses no s'hi afeblirà, com esperen els sionistes lliurepensadors, sinó que, al contrari, es farà més i més forta».[10] Uganda (o almenys la idea d'Uganda) oferia un nou començament, la possibilitat d'establir la vida nacional a partir d'un motlle modern.

Ara bé, l'assentament a Uganda seria també una continuació de l'exili i de la submissió que comportava. Els nous governants serien més benignes que els antics, certament; el rei d'Anglaterra era preferible al tsar rus o el soldà turc, però no era el rei David; no representava la sobirania jueva. Aquest és el motiu pel qual els rabins de la tendència Mizrahi se sentien tan còmodes amb la proposta de Herzl, perquè no s'haurien de confrontar amb el repte de la sobirania.[11] En una de les primeres assemblees sionistes, la conferència de Katovice de 1884, un delegat ortodox de Romania argumentà contra la independència política amb unes raons que poden semblar absurdes als jueus seculars (i als no jueus) actuals, però que de fet se situen al cor del conflicte entre sionisme i judaisme: cap estat –deia– pot mantenir-se sense un servei de correus, ferrocarrils i telègrafs, i tot això ha de funcionar dia i nit els set dies de la setmana. «Però si els funcionaris d'Israel descansaven el Sàbat, d'acord amb les lleis de Moisès, altres estats... protestarien, mentre que si permetíem als nostres funcionaris violar el Sàbat i les festivitats, els nostres germans... es revoltarien i ens destruirien».[12] Hi ha un fum d'exemples similars: el manteniment del subministrament de gas (i, ben aviat, d'electricitat), la policia i els bombers (si hi havia vides en joc, n'estava permesa l'actuació; si no, no), el funcionament normal de clíniques i hospitals, la recollida de la brossa, la neteja dels carrers, i així successivament. Als països de l'exili, els gentils feien totes les feines necessàries el Sàbat;

9 Vital, *Origins of Zionism*, 138; vegeu també Luz, *Parallels Meet*, 38.

10 Luz, *Parallels Meet*, 271-72.

11 Això és el que deien tot sovint, en aquell temps, els crítics dels Mizrahi. Lutz pensa que és ben plausible, però no troba proves suficients per afirmar-ho ell mateix. Vegeu *Parallels Meet*, 267-68.

12 Vital, *Origins of Zionism*, 169.

a Uganda probablement els britànics farien el necessari per garantir-les. Els jueus religiosos encara no podien imaginar-se fent-les ells mateixos. En la seua vida privada, confiaven en el *Shabbos goy*, un amic, veí o servent gentil, per a dur a terme totes les coses que els jueus tenien prohibides el Sàbat, i què era l'estat, quina altra cosa podia ser en temps pre-messiànics, sinó un *Shabbos goy* a gran escala?

Dubte molt que a Herzl li preocupés mai la possible incompatibilitat entre les lleis mosaiques i l'estat jueu; la seua descripció visionària d'un estat en el qual l'exèrcit s'estaria als seus quarters i el rabins a les seues sinagogues no incloïa aquestes lleis.[13] Des d'un punt de vista polític, la geografia sagrada dels jueus hauria d'haver-lo preocupat més, però no en tenia una gran percepció fins que no esclatà la controvèrsia sobre Uganda. Els informes sobre les seues converses amb funcionaris britànics donen a entendre que defensava tanta autonomia com fos possible en un eventual assentament a Uganda; l'assentament com a tal tenia menys importància per a ell. I tanmateix, la geografia sagrada era un tret de la cultura d'exili que ni ell ni cap altre dels «ugandesos» (després s'anomenaren a ells mateixos «territorialistes») podia negar.

Els sionistes culturals seguidors d'Ahad Ha'am («Un del poble», nom de ploma d'Asher Ginzberg) s'oposaren al pla Uganda i criticaren durament la manca de cultura i formació jueva de Herzl i, encara més, la seua insensibilitat envers els lligams emocionals jueus. Insistien tothora en la necessitat de continuïtat amb el passat i uns quant d'ells, com ara el poeta Hayim Nahman Bialik, tendien a afavorir un compromís crític amb l'exili, més que no pas una negació del mateix. La crida de Bialik en favor d'un «retorn» cultural juntament o fins i tot abans del retorn demogràfic, suggereix el camí que no es va prendre, i que defensaré més endavant com la millor via.[14] El

---

13 Quant a l'exèrcit i els rabins, vegeu Theodor Herzl, *The Jewish State*, amb introducció de Louis Lipsky (Nova York: American Zionist Emergency Council, 1946), 146. [Hi ha traducció catalana: Theodor Herzl, *L'Estat dels jueus*, traducció i introducció de Gustau Muñoz, València: Publicacions de la Universitat de València, 2008.]

14 Alguns dels poemes de Bialik ajuden a explicar per què no es va seguir aquesta via; expressen una mena de desesperació pel que fa a la

rellevància o el valor de la tradició. Vegeu, per exemple, «The Talmyd Student» dins *Selected Poems of Hayyim Nachman Bialik*, ed. Israel Efros (Nova York: Bloch, 1948; ed. revisada 1999), 29-50. El gran esforç primerenc adreçat a la incorporació cultural és *The Book of Legends (Sefer Ha-Aggadah)*, ed. Hayim Nahman Bialik i Yehoshua Hana Ravnitsky, trad. William J. Braude (NovaYork: Schocken, 1992); el llibre fou publicat originalment en hebreu a Odessa en 1908-11.

45

mateix Ahad Ha'am va escometre els escriptors jueus que entenien el conjunt de la història jueva «com un gran i prolongat error que demana una rectificació immediata i completa». Tot i que reconeixia en una carta privada que el sionisme podia comportar una «contradicció latent amb l'ànima profunda [del judaisme]», s'oposà de manera radical al que anomenava una «apostasia reptadora [*apikorsut le-hakhis* –una fórmula presa del Talmud]».[15] Tanmateix, les seues idees quant a la continuïtat eren selectives, i es centraven sobretot en la «moralitat profètica». Les idees dels seus seguidors i admiradors eren encara més selectives.

El sionisme no era de cap manera una «continuació directa de la cultura antiga», va escriure Leo Motzkin. «Tot i que es proposa refer més que no pas crear *ex nihilo*», argumentava Joseph Klausner, «el sionisme és un moviment jueu altament radical... Aspira a una revolució total en la vida jueva: a una revolta contra la diàspora». Una revolució total: hi havia ben poc en la vida i la cultura jueves que volgueren salvar aquests alliberadors jueus. L'assaig d'Isaiah Berlin sobre Chaim Weizmann il·lustra amb elegància aquest punt tan paradoxal. Weizmann formava part del seu poble, escriu Berlin: «el seu idioma era el d'ells i la visió que ells tenien de la vida era la seua». Però alhora se n'adonava que aquell poble constituïa «una població semi-ilota, relegada a una categoria inferior i dependent, que produïa en ells les virtuts i els vicis dels esclaus». Atesa la situació en què es trobaven, «no hi havia cap altre remei que una revolució –una transformació social total». Homes com Motzkin, Klausner i Weizmann haurien estat probablement d'acord amb Simon Bernfeld quan afirmava que «és impossible preservar el futur d'una nació destruint el seu passat»; tanmateix, era molt el que ells volien destruir.[16]

L'objecte principal de la seua crítica era la religió mateixa, un aspecte que va remarcar amb màxima energia Haim Haraz en el breu relat «El sermó», escrit en la dècada de 1940: «El sionisme i el judaisme no són de cap manera el mateix, sinó dues coses totalment diferents l'una de l'altra i fins i tot dues coses oposades l'una a l'altra... Quan un home ja no pot ser

15 Almog, *Zionism and History*, 121, 199; Ahad Ha'am, «The Transvaluation of Values», dins *Nationalism and the Jewish Ethic: Basic Writings of Ahad Ha'am*, ed. Hans Kohn, trad. Leon Simon (Nova York: Schocken, 1962), 165; Luz, *Parallels Meet*, 88.

16 Almog, *Zionism and History*, 132, 140, 270; Isaiah Berlin, *Personal Impressions*, ed. Henry Hardy (Nova York: Viking, 1981), 42-44.

jueu, es fa sionista».[17] Martin Buber, que discrepava parcialment d'aquesta posició radical, insistia que ell només s'oposava a les formes decadents, d'exili, del judaisme: a «l'espiritualitat subjugada i a la tradició [imposada] ...buidada del seu significat».[18] Com ells, molts dels sionistes culturals, i després els socialistes, miraven a l'Israel bíblic com a font d'inspiració: una cultura de reis, guerrers i profetes que podien aspirar a reprendre. Ara bé, els herois bíblics que descrivia la literatura i la propaganda sionista semblaven directament el contrari que els jueus coetanis, i el seu credo estava realment molt lluny del judaisme coetani. Inspirava homes i dones forts, mentre que la religió d'exili, als ulls dels sionistes, generava passivitat política i resignació, una mentalitat d'esclaus que era incapaç de resistència o d'autodefensa. Tornar a la Bíblia era reconèixer un trencament, un cisma cultural.

Com si fos una il·lustració de les tesis sionistes, Israel Kagan, un rabí ortodox molt influent, subratllava que «no està en les nostres mans canviar la situació en què viu el nostre poble, perquè estem sota la dominació dels nostres enemics».[19] Els autors sionistes consideraven que afirmacions com aquesta palesaven la «falta nacional d'auto-respecte i de confiança en nosaltres mateixos, la manca d'iniciativa política i d'unitat» que havien produït anys d'exili i de resignació religiosa.[20] Però Kagan hauria dit que la dominació era voluntat de Déu i que la fortalesa política no era l'única font d'auto-respecte. La bretxa entre aquestes dues visions era molt gran. No fou gens fàcil trobar-hi continuïtats.

De vegades la crítica sionista era menys doctrinal, més immediata. Per exemple, quan els autors sionistes, majoritàriament molt joves, atacaven la retirada de l'activitat física i del món natural que caracteritzaven la vida d'exili. «El sionisme secular», com diu David Hartman, destacava per «una recerca apassionada de nous models antropològics que exalçaren la dignitat de... la força física».[21] També es caracteritzava per l'odi apassionat a la «degeneració física» dels jueus d'Europa oriental. De fet, l'estereotip antisemita del jueu pàl·lid, vinclat i poruc era també un estereotip sionista. En un ardent elogi de Herzl que va escriure en 1906, el jove Zeev Jabotinski hi aportava

17 Haim Hazaz, «The Sermon», a *Israeli Stories*, ed. Joel Blocker (Nova York: Schocken, 1962), 65.
18 Almog, *Zionism and History*, 134-35.
19 Luz, *Parallels Meet*, 49.

20 Pinsker, *Road to Freedom*, 105.
21 David Hartman, *A Living Covenant: The Innovative Spirit in Traditional Judaism* (Nova York: Free Press, 1985), 286.

un exemple ben expressiu. Es demanava: ¿com hauríem de descriure l'hebreu del futur? I es responia:

> El punt de partida no pot ser un altre que agafar el *Jid* típic d'avui i imaginar el que hi seria diametralment oposat... Si el *Jid* és lleig, malaltís i li manca decòrum, hem de revestir la imatge ideal de l'hebreu de bellesa masculina. El *Jid* acota el cap i s'atemoreix fàcilment; doncs, l'hebreu ha de ser orgullós i independent... El *Jid* ha acceptat la submissió, l'hebreu ha d'aprendre a manar. El *Jid* procura amagar la seua identitat davant els estranys; doncs, l'hebreu ha de mirar el món directament als ulls i proclamar: «Soc un hebreu!»[22]

L'èmfasi que hi trobem en la bellesa, l'orgull i la força apunta ja al futur de Jabotinski com a sionista de dreta. Ahad Ha'am, en canvi, estava més preocupat per les inclinacions intel·lectuals que havien nodrit segles de sotmetiment: «la manca d'unitat i ordre... la manca de sentit [comú] i cohesió social... el narcisisme que té una influència tan terrible entre els membres prominents del poble... l'exhibicionisme i l'arrogància... la tendència a passar-se sempre de llestos». Aquest tipus de diatriba té molts paral·lelismes en altres moviments nacionalistes i revolucionaris. No puc estar-me de fer una comparació, tal vegada injusta pel que fa a Ahad Ha'am, amb la crítica que feia Lenin als intel·lectuals russos, als quals acusava de «deixadesa... despreocupació, desordre, manca de puntualitat, agitació nerviosa, tendència a preferir la discussió a l'acció, la xerrameca al treball, i tendència a començar mil coses alhora i no acabar-ne mai cap»..[23] La llista d'acusacions és diferent, però el to de reprovació és bastant semblant. No crec que aquests dos homes, malgrat les seues diferències, hagueren tingut massa dificultats a posar-se d'acord quant al que els desagradava dels seus contemporanis.

Així doncs, el sionisme es caracteritzava alhora per un compromís pregon amb el poble jueu i per un compromís igual de pregon amb la transformació dels jueus. «Aquesta jovenalla», va escriure Aharon Eisenberg, un nacionalista religiós moderat, «s'oposen frenèticament a les nostres tradicions, que han estat santificades pel poble, però ells proclamen que tot el que fan és per a salvar el poble... I alguns diuen fins i tot

22 Amnon Rubinstein, *The Zionist Dream Revisited: From Herzl to Gush Emunim and Back* (Nova York: Schocken, 1984), 4.

23 Sobre Ahad Ha'am, vegeu Almog, *Zionism and History*, 87, citació d'un assaig escrit en 1891; la citació de Lenin prové del pamflet «Com organitzar la competició?»: *How to Organize Competition*, escrit en 1917 (Moscou: Progress Publishers, 1951), 63.

que el poble no podrà salvar-se fins que ells [els joves] hagen destruït prèviament tot allò que el poble ha bastit amb la seua sang».[24] Destruït i salvat... Una llista a doble columna de valors culturals i actituds ens ajudarà a il·lustrar la transformació que volien dur a terme aquests militants. Les columnes s'entén que indiquen «de la ... a la», i les parelles de termes formen un tot coherent i ofereixen, més o menys, una auto-explicació.

Passivitat	Activitat
Temor	Coratge
Deferència	Orgull
Obediència	Rebel·lió
Feblesa	Força
Reclusió portes endins	Eixida a la llum
Venedors ambulants / botiguers	Pagesos / obrers
Subordinació de la dona	Igualtat de gènere
Dependència	Independència
Subjecció	Ciutadania
Aïllament del món	Integració al món
Por i odi als gentils	Igualtat i amistat amb els gentils

Molts intel·lectuals i professionals jueus d'Occident pensaven que la transformació representada pel segon terme de les parelles enunciades en aquestes columnes només requeria l'emancipació, la igualtat cívica als països de l'exili. Els jueus esdevindrien ciutadans britànics o francesos o alemanys i llavors durien vides «normals». S'alliberarien als seus llocs de residència. Deixarien enrere el gueto, però no la Diàspora. I serien actius, orgullosos, forts i s'integrarien al món que els envoltava, i si no era així seria per raons purament personals, com en el cas dels seus veïns gentils. Els sionistes culturals consideraven que aquesta creença era una il·lusió, però encara més important és el fet que la consideraven una il·lusió d'exili, un altre signe de manca d'auto-respecte. L'emancipació era simplement la darrera versió de la submissió, una nova manera de mostrar deferència envers els gentils. El fet és que no requeria una crítica de les creences religioses: era perfectament compatible amb la fe mosaica tal com la definien els rabins. Però sí que requeria l'abandonament de qualsevol exigència d'autodeterminació nacional. L'assaig d'Ahad Ha'am «Esclavitud o llibertat» (1891) és una dura crítica de la jueria occidental que, al seu entendre, s'havia venut el seu llegat a canvi

24 Luz, *Parallels Meet*, 104.

d'avantatges ben magres i purament privats.[25] Al mateix temps, el món tancat, estret, vulnerable i atemorit de l'ortodòxia a l'Est —on el llegat jueu prenia les seues formes més visibles— no era millor: representava l'esclavitud dins de l'esclavitud. El sionisme maldava per obrir una fugida de tots dos, la qual cosa implicava l'acció col·lectiva, tant cultural com política. Però els jueus assimilats ja no reconeixien la col·lectivitat i els jueus religiosos esperarien sempre a Déu per actuar. Totes dues formes de consciència d'exili havien de ser negades.

L'èxit del sionisme fou obra dels «jueus nous», que encarnaven aquesta doble negació. No pot haver-hi cap dubte de la novetat, per bé que gran quantitat de jueus vells feren acte de presència al si i al voltant del moviment sionista, i que la línia de separació entre nou i vell no fou enlloc tan clara com estic suggerint. Tampoc no tots els jueus nous foren pioners heroics, que treballaven la terra, com diu la llegenda sionista. I tampoc no n'eren tants. El sionisme no fou un moviment de masses, sempre tingué un cert caire elitista, una preferència per la qualitat per damunt de la quantitat, per tal com, al cap i a la fi, la negació d'una cultura ancestral no és una causa popular. L'avantguarda dels jueus nous incloïa activistes polítics i fins i tot polítics d'un tipus ben normal a les societats seculars modernes, però rars en les velles comunitats jueves; també hi havia soldats, buròcrates, executius, professionals, intel·lectuals —i pagesos i obrers. El que els feia nous era que no acceptaven l'autoritat rabínica, que no es mostraven deferents envers els seus governants gentils (turcs i britànics) i que es negaven a ajornar la seua esperança d'independència nacional.

Ahad Ha'am tenia una imatge precisa de com aquesta gent duria a terme el canvi. Primerament es transformarien a ells mateixos; després crearien un «centre espiritual» a Palestina i treballant de dins cap enfora des del centre, lentament transformarien la cultura general de la jueria exílica; després, també lentament, crearien un centre polític i finalment (potser) un estat independent.[26] Però aquesta perspectiva gradualista es va veure sacsejada per les urgències de la vida jueva al segle XX. De manera que l'avantguarda creà l'estat i guanyà les guerres que l'estatalitat exigia molt de temps abans que la transformació cultural s'hagués consumat.

25 Ahad Ha'am, *Nationalism and the Jewish Ethic*, 44-65.

26 Sobre el gradualisme d'Ahad Ha'am, vegeu Steven Zipperstein, *Elusive Prophet: Ahad Ha'am and the Origins of Zionism* (Berkeley: University of California Press, 1993), 77-80, 157.

Una vegada establert l'estat, la seua primera tasca fou el retorn dels exiliats: de primer, els jueus supervivents d'Europa central i oriental, persones desplaçades desesperades per trobar un lloc, després els jueus del Nord d'Àfrica i Mesopotàmia, que vivien sota amenaça a causa de l'eclipsi de l'imperi i l'auge dels nacionalismes locals. El retorn fou un gran èxit. Centenars de milers d'immigrants es traslladaren al nou estat. El seu efecte més dramàtic, tanmateix, fou que s'emportaren amb ells la cultura no negada d'exili. Així, el nou estat sionista hagué de maldar per acomplir allò que el sionisme de la Diàspora no havia pogut consumar. L'absorció d'immigrants es va dissenyar com un procés de transformació cultural; representava la continuació de la guerra cultural anterior per altres mitjans. És instructiva la caracterització que traçava Ben-Gurion del que s'havia de fer, escrita abans de la proclamació de l'estat:

> [L'absorció] significa agafar... masses jueves desarrelades, empobrides, estèrils, que viuen parasitàriament d'un cos econòmic aliè i dependents d'altri, i introduir-les en la vida productiva i creativa, arrelar-les a la terra, integrar-les en la producció primària en l'agricultura, en la indústria i els oficis, i fer-les econòmicament independents i autosuficients.[27]

L'absorció dels immigrants fou una forma d'acció estatal, la comesa de funcionaris, professors, treballadors socials, instructors militars. Com suggereixen els verbs emprats per Ben-Gurion, el procés fou menys persuasiu que coercitiu; i estigué marcat per un cert autoritarisme. Com va quedar clar posteriorment, també fou ressentit amargament –i objecte d'una resistència reeixida, en privat– per molts dels nous immigrants. La transformació cultural que preconitzava Ben-Gurion és avui desafiada públicament per un judaisme reviscolat i militant.

III

Per bé que caldria fer-hi matisacions importants, es pot explicar una història molt semblant en el cas de l'alliberament nacional palestí. Mentre escric aquestes pàgines, els militants de l'alliberament palestí no han guanyat la seua batalla; són els protagonistes d'un moviment polític fracassat, però no

---

27 David Ben-Gurion, *From Class to Nation* (1933), citat a Shlomo Avineri, *The Making of Modern Zionism: The Intellectual Origins of the Jewish State* (Nova York: Basic Books, 1981), 200. Val la pena remarcar que Ben-Gurion parla ací sobre els immigrants d'Europa, no del Nord d'Àfrica o Iraq.

definitivament fracassat. Un dia –així ho espere– hi haurà un estat palestí, però el xoc entre el nacionalisme secular i el reviscolament religiós ja ha començat, i de quina manera. La sorpresa dels secularistes davant la puixança de les forces religioses no és gaire diferent de la sorpresa que descobrim en els altres casos examinats ací. La incapacitat per a establir un estat palestí alimenta, sens dubte, el reviscolament religiós, però no l'explica. Fins i tot si els secularistes hagueren reeixit, encara haurien de veure-se-les amb una ferotgia islàmica que no havien previst.[28]

Els alliberadors palestins no anaren mai a escola amb els seus oponents imperials. No estudiaren a Anglaterra i no assistiren mai a les universitats israelianes. Però molts dels primers líders del moviment palestí, perquè eren cristians i després perquè eren marxistes, miraren el seu poble amb una significativa distància crítica. Militants com George Habash i Waddie Haddad, fundadors del Front Popular d'Alliberament de Palestina, estudiaren a la Universitat Americana de Beirut, es consideraven a si mateixos marxistes-leninistes, i criticaven brutalment la política àrab tradicional. Difícilment podríem sobreestimar la importància dels palestins cristians, com aquests dos, en el moviment d'alliberament, i especialment en la seua ala més radical i més radicalment secularista.

Yasser Arafat és bastant més inclassificable que els militants marxistes del Front Popular però en molts aspectes encaixa amb la imatge del líder nacionalista que he esbossat en el capítol 1. Nascut a Egipte de pares que havien abandonat Palestina en 1927, ben abans de la Naqba –la «catàstrofe»– del 1948, esdevingué líder d'un poble amb el qual no compartia l'experiència formativa. Com ha escrit un dels seus biògrafs: «No tenia la seua llar d'infantesa a la pàtria perduda, no havia tingut cap tros de terra que esdevingués propietat d'algú altre, no tenia parents pròxims que s'hagueren convertit en refugiats desnonats».[29] Durant molts anys treballà com a enginyer a Kuwait i fou allà on va fundar Al Fatah. El nom és un acrònim però la paraula significa «conquerint» o «victòria» i es fa servir per a al·ludir als primers anys de l'expansió islàmica. Arafat, segons tots els seus biògrafs, era un musulmà creient i de cap manera un marxista-leninista. Tanmateix, l'organització que

28 Sobre el secularisme dels primers militants palestins, vegeu Edward W. Said, The Question of Palestine (Nova York: Vintage, 1989), 164.

29 Danny Rubinstein, The Mystery of Arafat, trad. Dan Leon (South Royalton, Vt.: Steerforth Press, 1995), 20.

fundà era secular i nacionalista i s'inspirava més en l'FLN algerià i els escrits de Frantz Fanon que en l'Alcorà.[30] Per als creients pietosos, Arafat era el típic secularista, dedicat a la construcció d'un estat nacional i no d'un d'islàmic. Els seus successors no són gaire diferents: enemics de Déu, i per consegüent gent que cal substituir.

IV

Tornarem ara, per un moment, a la versió general del nostre tema. Molts moviments d'alliberament nacional reeixits produeixen, sense proposar-s'ho, una cultura clandestina, un tradicionalisme secret que s'alimenta de la memòria, es conrea en la família, i es recolza en petits grups i en les cerimònies associades al cicle de vida. Els protagonistes d'aquesta cultura es presenten –a la manera dels *marranos*– com a ciutadans del nou estat: assisteixen a les seues escoles, serveixen (alguns) a l'exèrcit, voten en les eleccions, accepten els beneficis que aporta, sense mai permetre's una transformació d'ells mateixos a imatge i semblança del nou estat. No es converteixen en l'home i la dona nous que tant exalçaven Ben-Gurion i Fanon; no esdevenen ciutadans moderns, seculars, liberals i democràtics. Més aviat, la seua lleialtat primera no és a l'estat-nació sinó a quelcom que s'assembla més a la comunitat tradicional, pre-estatal. Passat un temps, quan l'alliberament nacional ja s'ha difuminat en la memòria, aquests tradicionalistes promouen una contrarevolució. I així s'esdevé amb l'esclat del radicalisme islàmic a Algèria (i a Palestina), de l'Hindutva a l'Índia, i de l'integrisme jueu a Israel. El ressorgiment religiós és un tot un xoc per a les elits de l'alliberament nacional, que s'havien anat fent grans complaent-se en la victòria del nou.

Però els tradicionalistes no estan realment tan a prop, en esperit o creences, dels seus ancestres com a ells els agrada pensar; potser no se senten alliberats, però l'experiència de l'alliberament els ha canviat, sovint per vies que ells mateixos no entenen. El desenllaç de la contrarevolució és incert. Està fora del meu abast aventurar-ne alguna conclusió, puix que els esdeveniments, en aquest aspecte, encara no han finit ni a l'Índia, ni a Israel ni a Algèria. El retorn d'allò negat ha comportat un nacionalisme religiós militant que ha alterat radicalment la

---

30 Però vegeu l'advertiment de Said: «Hi ha nombroses analogies entre la resistència algeriana i la palestina, però finalment s'han esvait». *Question of Palestine*, 183-84. Algunes d'aquestes analogies –em sembla a mi– no s'han esvait.

política de tots tres països (i la de Palestina també) però que encara no ha desbordat o desbaratat el projecte alliberador.

El retorn d'allò negat és un fenomen general però també és singular i específic en cada cas. Tornaré a centrar-me en el cas d'Israel. Quan la jueria d'exili tornà «a casa», hi arribà amb una política característica; això podia amagar-se durant un temps rere la façana d'un comportament de ciutadania convencional, però tot i així podem establir-ne els trets principals. (No em referiré ara als jueus soviètics, que foren modernitzats i secularitzats pel comunisme, no pel sionisme, i que no encaixen fàcilment en el meu recompte esquemàtic). La política dels jueus religiosos a Israel prové de l'experiència de l'exili i hi manté una continuïtat més estreta que no el sionisme. Els jueus ultraortodoxos d'Israel, els *haredim*, el sector de la població que creix més ràpidament, realment no creuen que l'estat siga el seu estat. Alguns són nacionalistes furibunds (i molt propers a la definició de diccionari que he reproduït al capítol 1), però no tenen el sentiment que se suposa que tenen els ciutadans de tindre responsabilitat envers el conjunt; no reconeixen un «bé» que siga comú a ells i a la resta dels israelians. Mantenen una visió de l'estat que és típica de la gent sense estat, de persones al marge, vulnerables. Són políticament oportunistes, miren d'aconseguir qualsevol benefici que atorgue l'estat alhora que fugen de les càrregues corresponents. La companyonia dels ciutadans democràtics i la llibertat absoluta de debat pròpia d'una política democràtica els són en gran mesura alienes. Ells participen d'una companyonia més antiga, accepten l'autoritat de les directrius emanades dels seus rabins, i voten com un bloc compacte.

El sionisme per a ells, com ha escrit Amnon Rubinstein, no és un «retorn a la família de les nacions, sinó tot el contrari: una nova polarització entre els jueus i els gentils de la terra». El conflicte àrab-israelià dona una força especial a aquesta polarització, però la perspectiva és general: tots els «altres» són hostils i amenaçadors. «El món sencer està a un costat i nosaltres a l'altre», va escriure un rabí ortodox als anys de 1970, amb una interpretació estranyament errada de la situació del seu país, que tanmateix il·lustra l'afirmació de Rubinstein.[31] «L'alteritat», des d'aquest punt de vista, es troba sempre a prop i és tothora perillosa. Inclou el món de la Il·lustració jueva secular ensems que el món dels gentils.

31 Rubinstein, *Zionist Dream Revisited*, 111, 116.

El retorn d'allò negat, podríem dir, és simplement la verificació de la predicció que havia fet Hillel Zeitlin en el sentit que a la Terra d'Israel la dominació rabínica «no s'afeblirà, com esperen els sionistes lliurepensadors, sinó que... es farà més i més forta». I tanmateix, als sionistes lliurepensadors els va causar sorpresa el ressorgiment (i la vitalitat demogràfica) del judaisme ortodox i ultraortodox. Fou el cas fins i tot de Ben-Gurion, a qui sempre li havia preocupat l'herència que comportava l'absència d'estat pròpia de l'exili: «Un poble avesat a l'Exili, oprimit, mancat d'independència al llarg de milers d'anys, no es transforma d'un dia per l'altre, per decret... en un poble sobirà, amo del seu estat, capaç de suportar joiosament i de bon grat els deures i les càrregues de la independència».[32] Però Ben-Gurion (com Nehru) era un secular optimista i quan va fer el famós pacte amb els *haredim* i acordà l'exempció del servei militar als estudiants de les yeshiva, estava convençut que el nombre d'alumnes exempts seria molt reduït. Al nou estat jueu, els *haredim* serien com els mennonites i als amish als Estats Units. Podia fer acords amb els rabins comptant amb un gran marge de seguretat perquè el futur els pertanyia a ell i als seus conciutadans lliurepensadors.

Ben-Gurion s'equivocava (o almenys no encertava en el seu horitzó temporal), però aquesta equivocació és només una part de la història. Perquè el reviscolament de l'ortodòxia tradicional representa només un costat de la consciència política exílica, el costat de la deferència, de la por, del ressentiment. L'altre costat el representa la figura del Messies, l'adveniment del qual, en els llargs anys d'exili, s'ajornava indefinidament. La insistència en l'espera del Messies i la prohibició rabínica de «forçar la fi» abonaven una cultura política de passivitat. Tanmateix, la certesa fervent que un dia arribaria el Messies; la intensificació intermitent, imprevista, inexplicable, de l'expectativa; l'aparició de falsos profetes i de pretendents messiànics... tot plegat suggereix una profunda insatisfacció amb aquesta cultura de la passivitat. El messianisme és alhora una fantasia de consolació i una força disruptiva. Els sionistes seculars explotaren aquesta força i fins i tot alguna vegada varen proclamar que l'encarnaven, però en realitat la naturalitzaren i la domesticaren. Transformaren el messianisme en treball dur i la redempció en un procés gradual d'adquisició

32 Avineri, *Making of Modern Zionism*, 214, citació d'un discurs pronunciat per Ben-Gurion en 1954.

i renovació: «Un *dunam* més i una cabra més*». Però una vegada que la feina més arran de terra ja estava feta i els jueus religiosos contemplaven l'estat, especialment l'estat tal com era en el moment terriblement màgic de 1967, triomfant sobre els seus enemics, molts d'ells decidiren que vivien realment temps messiànics –o, millor dit, al caire de temps messiànics.[33]

L'alliberament nacional els havia dut fins allà però no podia dur-los més enllà. Ara el Messies només esperava el zel dels creients pietosos per a expressar-se en la vida política. Com els pioners sionistes, els pietosos s'assentarien en la terra, però actuarien obeint un manament diví, no una ideologia secular, i viurien d'acord amb la llei divina. I aleshores començarien els dies de glòria.

Aquesta visió s'assembla al nacionalisme romàntic de «la terra i la sang», però no és el mateix. Tampoc és una exaltació de l'estat d'Israel. Per als colons militants l'estat-nació tal com existeix actualment és simplement un instrument per a promoure la política de Déu, però un instrument escassament fiable. Miren més enllà, aspiren a un temps en què, com argüia fa més d'una dècada el director de la revista dels colons *Nekudah*, la democràcia (una forma occidental i aliena de govern) serà substituïda per un règim religiós autènticament jueu que retornarà els jueus a una vida basada en la Torà.[34] Mentrestant, però, l'entusiasme messiànic no s'ha de veure contingut per la moralitat jueva; el moviment dels colons és la versió més visible i temible de la contrarevolució. No és enterament responsable de la durada de l'ocupació de Cisjordània i Gaza posterior a 1967 o de les crueltats que va comportar, però hi ha tingut una àmplia participació en totes dues coses.

El messianisme contemporani té dues cares: reitera la vella convicció exílica segons la qual la redempció és l'única alternativa a l'exili, però també dona suport a una política radi-

---

* Es podria expressar així: «Una jovada més [equivalent a trenta-sis fanecades, si fa no fa] i una cabra més». [Nota del traductor].

33 La millor descripció del que s'esdevingué als cercles religiosos israelians després de 1967 es troba a Aviezer Ravitsky, *Messianism, Zionism, and Jewish Religious Radicalism*, trad. Michael Swirsky i Jonathan Chipman (Chicago: University of Chicago Press, 1996); vegeu també Gadi Taub, *The Settlers and the Struggle over the Meaning of Zionism* (New Haven: Yale University Press, 2010); i Gershom Gorenberg, *The Accidental Empire: Israel and the Birth of the Settlements, 1967-1977* (Nova York: Henry Holt, 2006).

34 Gadi Taub, «Can Democracy and Nationalism Be Understood Apart? The Case of Zionism and Its Critics», *Journal of Israeli History* 26:2 (setembre 2007), 166-67. Taub discuteix un llibre de Motti Karpel, *La revolució de la fe: el declivi del sionisme i la puixança de l'alternativa religiosa* (en hebreu), publicat en 2002.

calment nova i intransigent; els seus protagonistes no busquen l'exempció del servei militar (i critiquen els estudiants de les yeshiva que sí que ho fan). Per tal de promoure la seua versió de la política de Déu, estan més que disposats a usar la força militar, que els jueus exílics sempre havien identificat amb «l'altre» –com molts jueus ultraortodoxos fan encara avui. Als marges del moviment dels colons existeix un cert component de «matonisme», tolerat i fins i tot encoratjat per algunes de les seues figures centrals: res no podria distanciar més clarament aquest judaisme reviscolat del judaisme de l'exili.

Però a l'Israel modern, a l'igual que en la història d'exili, el messianisme probablement tindrà curta vida; és enormement susceptible de caure en la decepció, la desil·lusió i en nous ajornaments. El messianisme post-1967, a despit de l'ardor dels seus militants, ja s'ha marcit. El veritable desafiament per a l'alliberament sionista ve d'una estranya (i només parcialment consumada) fusió entre la militància messiànica i la sortida a la llum i l'afirmació creixent dels jueus ultraortodoxos. El sionisme dels colons i la ultraortodòxia són teològicament divergents, però la seua confluència i fins i tot la seua amalgama parcial podrien ser un tret característic del reviscolament religiós en general, i no tan sols a Israel. Un moviment religiós militant, altament polititzat i de dretes ha vingut de la mà, i alhora ha nodrit, un més ampli reviscolament de la pietat tradicional i de la pràctica ortodoxa. Una cosa així s'ha esdevingut també a l'Índia i a Algèria.

Per tal com aquestes dues versions del judaisme nasqueren en un context marcat per l'absència d'estat, la seua articulació política en un estat de debò és sovint confusa, estrident i contradictòria. Els seus protagonistes són alhora temorencs del món no-jueu i hostils a ell, pateixen desassossec i es mostren agressius. Tenen una adhesió oportunista a l'estat, confien en la seua força militar i malden per fer servir la seua força coercitiva en benefici propi. Però estan disposats a negar la legitimitat dels representants elegits de l'estat i (encara més) dels seus representants judicials alhora que no els agraden els agents de policia. S'identifiquen més amb la seua religió que amb la seua nació o bé són nacionalistes amb mentalitat de gueto, ensems provincians i fanàtics, assetjats i bel·ligerants.

¿Qui se'n beneficia o treu partit d'aquest tipus de política? L'anàlisi marxista no ajuda gaire en aquest cas. Els capitalistes israelians no es beneficien del fanatisme religiós. La burgesia de Tel Aviv hi és immune i més aviat se'n sent amenaçada.

57

Els rabins sí que se'n beneficien: la seua autoritat s'enforteix i atès el nombre dels seus seguidors són una força social, per bé que sense una base particular de classe. Els polítics populistes de dreta troben noves oportunitats. Els colons post-1967 se'n beneficien en gran mesura, almenys a curt termini, però són la creació del fanatisme, no la causa. No és gens probable, tot comptat i debatut, la millora o l'enfortiment de la posició de ningú més. ¿Poden exercir un poder efectiu en el món contemporani els fanàtics i els tradicionalistes jueus, poden fer rutllar una economia moderna o negociar amb els veïns d'Israel o trobar una via cap a la pau amb els palestins? ¿Poden reconciliar l'autoritat rabínica amb la deliberació democràtica i el desacord que li és inherent? ¿Poden governar de manera justa en un estat que inclou un gran nombre de no-jueus i també un gran nombre de jueus no-creients?

Al meu entendre no és possible abordar amb èxit aquestes qüestions des d'una posició de militància religiosa. En darrera instància, la contrarevolució fracassarà, encara que els tradicionalistes i fanàtics puguen tenir un paper significatiu en governs de coalició, però un govern modern amb ministres antimoderns és una fórmula molt problemàtica. ¿Com és possible una cosa així, tenint en compte l'èxit de l'alliberament nacional? De fet, la resposta sionista a l'erupció del messianisme i al retorn del tradicionalisme ha sigut sorprenentment feble. Si fem abstracció de les raons polítiques, la principal raó intel·lectual d'aquesta feblesa és el doble fracàs de la negació cultural. Per una banda, la vella cultura religiosa no havia estat vençuda; per una altra, la nova cultura secular no és suficientment densa o robusta per a sostenir-se per si mateixa.

Per a explicar el «retorn als dies de la pre-emancipació», el crític literari i social Aharon Megged diu simplement: «tots els buits... acaben per omplir-se».[35] No és del tot just, atès tot el que varen fer els escriptors i activistes sionistes per a omplir l'espai cultural que havia deixat la negació de l'exili. La nova cultura era en part un reflex de la història del moviment mateix i de l'experiència dels seus pioners, però també es remuntava a la Bíblia i, encara, a les ideologies d'alliberament dels segles XIX i XX. Arthur Hertzberg ha dit que el sionisme derivava «els seus valors de fons de l'entorn [europeu] general». Però tot i això havia produït les seues pròpies idees i institucions, herois i festivitats, cerimònies i celebracions, cançons i danses.

35 Rubinstein, *Zionist Dream Revisited*, 97.

Tot això combinat va dominar la cultura israeliana durant un parell de generacions.[36] Ara bé, el procés de reproducció del sionisme secular ha anat de mal borràs en les darreres dècades. Tanmateix, l'afirmació de Megged segons la qual no havia res, que hi havia una gran buidor, ha assolit més crèdit del que realment mereix.

Però fins i tot si no hi havia cap buit, l'atmosfera cultural era massa prima, com he apuntat al capítol 1. Alguna cosa s'hi va esvair, i es va produir una pèrdua cultural. Jo crec que hi ha una forta connexió entre aquesta pèrdua i la negació radical amb la qual encetà el seu camí el sionisme. M. J. Berditxevski, un dels adeptes més aferrissats de la negació, un nietzscheà jueu, veia el lligam causal amb claredat. Escrivint un temps abans del 1900 va dir a propòsit de les seues pròpies idees crítiques: «Són poderoses, tenen potència per a soscavar-ho tot, per a canviar-ho tot... per a posar en qüestió tots els valors antics». Però, hi afegia: «si són les conqueridores, jo soc el conquerit... De vegades tinc la sensació que m'estic matant a mi mateix».[37]

Els secularistes no es varen suïcidar; encara predominen i governen una gran part de la cultura israeliana, si no la política israeliana. Però la seua hegemonia és a hores d'ara precària. Ja no poden resoldre la dicotomia secular/religiós que és un efecte central de la negació radical. «Secular» fa referència a la gent per a la qual l'exili ha estat efectivament negat; «religiós» a aquells per als quals definitivament no ha estat negat, que donen suport i promouen activament la vella cultura al si del nou estat. No hi ha termes mitjans del tipus que els intel·lectuals hegemònics haurien de ser capaços d'inventar, no hi ha versions de compromís de la negació ni versions liberalitzades de la religió. Potser el biblisme sionista s'havia concebut com una síntesi entre la religió dels israelites antics i la ideologia secularista moderna, que es podia concretar en el lligam forjat a través dels estudis històrics, l'arqueologia, l'exploració del país, les adaptacions laiques de les festivitats bíbliques (la Pesaj com el primer alliberament d'Israel; la Hanukah com la celebració de la llibertat religiosa) i així successivament. Però tot això era artificial, atesa la història dels jueus. «El salt a la Bíblia», va dir Gershom Scholem en una entrevista de 1970,

36 Arthur Hertzberg, ed., *The Zionist Idea* (Nova York: Harper Torchbooks, 1966), 17-18.

37 Luz, *Parallels Meet,* 170. Vegeu també la discussió de Berditxevski en

David Biale, *Not in the Heavens: The Tradition of Jewish Secular Thought* (Princeton, N. J.: Princeton University Press, 2011), 152-54.

«és purament fictici, la Bíblia és una realitat que no existeix avui».[38] En qualsevol cas, el salt o el recurs era només vers els textos més susceptibles d'ús polític de la Bíblia (en el cas de la Hanukah, dels primers temps post-bíblics) i invitava, certament, a altres salts vers altre tipus de textos. Una frase d'*El mercader de Venècia*, de Shakespeare, quadra bastant amb l'experiència israeliana dels darrers temps: «El dimoni, bé pot citar l'Escriptura si molt li convé».

La Bíblia és un text jueu i una implicació molt seriosa amb ell pot donar peu a arguments interessants, i de vegades ha de fer-ho. Però voldria suggerir una alternativa a aquesta cerca sionista d'un passat útil. Potser l'alternativa no s'haurà concretat en la història suara exposada, però bé podria ser encara rellevant de cara al futur. El que l'alliberament nacional necessitava era una implicació forta amb la tradició jueva post-bíblica, és a dir, amb el judaisme com a tal. Scholem argüia que el sionisme estigué marcat des dels seus inicis per una «dialèctica» entre la rebel·lió i la continuïtat.[39] La rebel·lió pren forma d'una negació secular (i d'un salt cap a la Bíblia); la continuïtat s'encarna en el judaisme tradicional. Són dues coses contradictòries, certament, però no s'han posat en una relació dialèctica, en la qual cadascuna influeix en l'altra i totes dues acaben transformant-se a través d'una mena d'interacció. ¿Quint tipus de moviment respecte de cadascuna d'ambdues parts pot fer-ne possible la interacció? Jo només puc parlar des de la perspectiva de la rebel·lió secular i tractar de respondre a la meitat de la pregunta. ¿De quina manera una implicació crítica amb la tradició podria enfortir la cultura alliberadora –és a dir, sionista? Al capítol 4 tractaré de donar-hi una resposta temptativa, i argumentaré també que aquest interrogant presenta una analogia molt estreta amb el debats recents que han tingut lloc a l'Índia al voltant de l'avenir del llegat de Nehru.

Però abans d'això abordaré el que diuen els crítics marxistes i postcolonials que neguen l'existència mateixa d'una paradoxa de l'alliberament nacional i insisteixen en què la qüestió suara plantejada no és la qüestió escaient o adequada. També afirmen que l'enfortiment de la cultura sionista o del

38 Entrevista a Gershom Scholem, «Zionism—Dialectic of Continuity and Rebellion», dins *Unease in Zion*, ed. Ehud Ben Ezer (Nova York: Quadrangle, 1974), 277. Sobre els assaigs i conferències bíbliques de David Ben-Gurion, vegeu *Ben-Gurion Looks at the Bible*, trad. Jonathan Kolatch (Middle Village, N.Y.: Jonathan David, 1972). Biale subratlla, amb raó, que Ben-Gurion és un intèrpret de la Bíblia «militantment secular»: *Not in the Heavens*, 88,

39 Entrevista a Scholem, «Zionism», 273.

secularisme de Nehru no és un objectiu desitjable. Tractaré aquesta línia de crítica en el capítol següent.

3. Negació de la paradoxa. Perspectives marxistes

La paradoxa que ha estat el meu punt de partida té a veure amb la relació tibant que s'estableix entre els alliberadors i el poble que es proposen d'alliberar, i que de fet alliberen. La relació inclou alhora una profunda simpatia i una profunda hostilitat. Simpatia perquè els alliberadors, més enllà d'oposar-se als governants estrangers i de voler desfer-se'n, realment es fixen com a objectiu millorar la vida quotidiana dels homes i dones amb els quals s'identifiquen: *el seu* poble (el possessiu és important). Hostilitat perquè al mateix temps els alliberadors odien el que consideren l'endarreriment, la ignorància, la passivitat i la submissió d'aquesta mateixa gent. Volen ajudar el seu poble transformant-lo, superant o modernitzant les seues creences i pràctiques religioses tradicionals, amb les quals molts o la majoria dels membres del poble en qüestió se senten profundament identificats.

La posició que he defensat implícitament –i de vegades de manera explícita– en els dos primers capítols és de simpatia envers aquesta empresa transformadora, combinada amb la crítica de les seues versions més abruptes, més singulars i absolutes. He d'afegir que en dos dels tres casos tractats –l'Índia i Israel– el govern dels militants de l'alliberament als nous estats no fou particularment dolent. Les massacres i la neteja ètnica que comportà la partició de l'Índia britànica i les expulsions que seguiren a la guerra àrab-israeliana del 1948 eren cosa del passat. El govern de Nehru no s'estava d'aplicar mesures de força a Catxemira i a Nagalanda i altres províncies del nord-est de l'Índia; Israel imposà el govern militar sobre la Galilea occidental i els seus habitants majoritàriament musulmans.[1] Però en termes comparatius a escala mundial, aquests eren

---

1 Yoav Gelber, «Israel's Policy towards Its Arab Minority, 1947-1950», *Israel Affairs* 19:1 (gener 2013), 51-81; Ramachandra Guha, *India after Gandhi: The History of the World's Largest Democracy* (Nova York: Harper Collins, 2007), cap. 4.

règims liberals amb partits d'oposició, una premsa fortament crítica i universitats lliures. De fet, un sociòleg indi actual ha subratllat la renúncia de Nehru «a usar els poders coercitius de l'estat per tal d'accelerar el procés [de secularització]». Nehru era massa liberal des d'aquest punt de vista o bé era massa optimista pel que fa al declivi de la religió. «Compareu-lo amb Lenin i Atatürk», diu aquest crític, «i si admeteu la dictadura, no hi surt guanyant».[2] Bé, doncs jo no «admet» la dictadura i he tractat d'insinuar una crítica molt diferent, potser exactament oposada, dels militants de l'alliberament: no reconegueren el caràcter substantiu molt seriós i la força dels seus oponents tradicionalistes i no encetaren un procés de compromisos i negociació amb ells. Però puc admetre que és del tot raonable mostrar-se escèptics davant aquesta crítica. Al cap i a la fi, aquells que tractaren d'establir compromisos amb les tradicions del seu poble en comptes de negar-les i prou, no reeixiren en cap dels casos considerats ací. No pogueren resoldre la paradoxa de l'alliberament nacional ni pogueren prevenir el reviscolament religiós.

Abans de tornar a la qüestió de com s'ha d'abordar la paradoxa, vull considerar dos relats alternatius de l'alliberament nacional de l'Índia, el marxista i el postcolonial, segons els quals no hi ha cap paradoxa i, per tant, res a considerar. Des d'aquesta perspectiva, els veterans dels moviments d'alliberament (també a Israel i Algèria), no haurien de sorprendre's gens davant el reviscolament religiós, perquè ells en són la causa directa. La religió reviscolada –em va dir un amic indi– és el «bessó en l'ombra» de l'alliberament nacional. L'oposició en la qual m'he centrat és una batussa menor entre forces socials que són, més enllà del que pensen els seus militants i els seus fidels, aliades en termes històrics globals.

La interpretació marxista sosté que les creences religioses i les identitats –defensades aferrissadament– que produeixen són exemples de falsa consciència, que no serven una relació productiva amb el «món real» de les classes socials en lluita i no són de profit per a les necessitats dels homes i les dones que sofreixen opressió. Els impulsors de l'alliberament són incapaços de sobreposar-se a aquestes creences i identitats perquè el seu propi nacionalisme és semblant quant a la forma:

2 T. N. Madan, «Secularism in Its Place», a *Secularism and its Critics,* ed. Rajeev Bhargava (Nova Delhi: Oxford University Press, 2 1999), 312-13. A Madan, d'altra banda, no li hauria fet el pes un Nehru leninista, com la resta de l'assaig fa palès.

és també un exemple de falsa consciència, poua de les mateixes idees i emocions primordials, i fracassa, com la religió, a l'hora de satisfer les necessitats dels oprimits. Més enllà de la pretesa oposició entre nacionalisme i reviscolament religiós, tots dos es reforcen mútuament i promouen en el fons una política d'escassa volada, particularista i xovinista. Els autors postcolonials, en canvi, consideren que tots dos –el nacionalisme i el reviscolament religiós– són creacions específicament modernes. Evoquen amb un punt de nostàlgia romàntica «el caire 'difús', sincretista i porós de les identitats religioses premodernes» i argumenten que les religions monolítiques i exclusivistes que fomenten el fanatisme són producte de la dominació colonial –que els alliberadors, més que no desafiar, haurien perpetuat. Els nacionalistes indis han fet seues «formes de poder disciplinari característicament occidentals». De cap manera pot sorprendre que els militants hinduistes entren en concurrència amb ells per exercir aquest poder.[3]

En aquest capítol em centraré sobretot en la crítica marxista, perquè crec que és la més atractiva, la més desafiant i la més útil, en la seua errada de fons, de totes dues. Convé així mateix reconèixer que l'universalisme marxista és molt proper en esperit a la visió predominant entre els filòsofs occidentals, que consideren tant la religió com en el nacionalisme estrets i perillosament particularistes. La política que deriva d'aquesta coincidència intel·lectual, és socialista per als marxistes i liberal per a la majoria dels filòsofs. Puix que jo simpatitze tant amb el socialisme com amb el liberalisme, hauré d'explicar per què l'alliberament nacional no és un afront a cap dels dos. Aquest no és un plantejament especialment original o singular: molts autors socialistes i liberals s'han esforçat abans que jo per reconciliar universalisme i nacionalisme.[4]

Diré alguna cosa sobre la crítica postcolonial en la primera part del capítol 4, per bé que no podré abordar-la amb l'extensió i aprofundiment que convindria. Em sembla que Amartya Sen l'encerta bastant quan diu que algunes argumentacions

3 Chandra Mallampalli, «Evaluating Marxist and Post-Modernist Responses to Hindu Nationalism during the Eighties and Nineties», *South Asia Research* 19:2 (1999), 171, 173. Tinc força deutes amb aquest article, que em va ajudar a construir el meu argument.

4 Vegeu, per exemple, Ber Borochov, «The National Question and the Class Struggle» (1905), dins *Class Struggle and the Jewish Nation: Selected Essays in Marxist Zionism,* ed. Mitchell Cohen (New Brunswick, N.J.: Transaction Books, 1984), cap. 2 i la introducció de Cohen; també Yael Tamir, *Liberal Nationalism* (Princeton, N.J.: Princeton University Press, 1993).

postcolonials «inclouen composicions conceptuals molt elaborades i un ús considerablement intricat del llenguatge; la veritat és que no resulta gens fàcil d'entrar-hi (ni tan sols armats amb un diccionari de neologismes, d'una banda, i amb tota voluntat del món, de l'altra)».[5] La meua discussió tindrà com a objecte només una versió simplificada i –així ho espere– intel·ligible del postcolonialisme.

La crítica marxista comença justament on jo havia començat: amb una nació els membres de la qual s'han adaptat a la dominació estrangera, accepten el seu paper subordinat i fins i tot troben vies, especialment vies religioses, per a legitimar la seua pròpia subordinació. Diversos autors que publiquen a la revista acadèmica índia *Subaltern Studies* han argüit que existien forts corrents subterranis de resistència i de vegades rebel·lions obertes: un comportament evasiu i subversiu en la vida normal i *jacqueries* camperoles ocasionals i aixecaments mil·lenaristes.[6] Però tot comptat i debatut, els governants colonials hi mantingueren la dominació amb un nombre considerablement escàs de policies i soldats. Els seus súbdits eren majoritàriament passius, conformats, submissos. S'ajustaven del tot a les caracteritzacions que en donaven els militants de l'alliberament nacional, tret d'una cosa: res del que els succeïa era peculiar i específic de la seua nació. De fet, eren exactament iguals –o molt semblants– als homes i dones subordinats d'arreu, i és extremament important que arriben a assumir aquesta semblança. La consciència d'un mateix com a membre d'un poble sotmès, escriu Edward Said a *Cultura i imperialisme*, és «el ressort que impulsa el nacionalisme antiimperialista», però conduirà al xovinisme i a la xenofòbia si el membre individual d'aquest poble no és capaç de «contemplar la seua pròpia història com un aspecte de la història de *tots* els homes i dones subjugats."[7] El relat alternatiu és un relat universalitzador, que nega que l'opressió tinga denominació nacional. Els indis no estan oprimits com a indis, els jueus com a jueus, els algerians com a algerians. Senzillament són gent sotmesa, parts d'un proletariat global. I és una errada pensar que el seu alliberament ha de ser –o pot ser– un alliberament nacional.

5 Amartya Sen, «Secularism and Its Discontents», dins Bhargava, *Secularism and its Critics*, 461.

6 Per a una síntesi de la història de la revista i una crítica d'alguns dels seus autors, vegeu Sumit Sarkar, «The Decline of the Subaltern in *Subaltern Studies*», a Sarkar, *Writing Social History* (Nova Delhi: Oxford University Press, 1997), 82-108.

7 Edward Said, *Culture and Imperialism* (Nova York: Vintage, 1994), 214.

Perry Anderson, director durant molts anys de la *New Left Review*, ha desenvolupat la versió més subtil d'aquest argument en una comparació de països i moviments tan sols lleugerament diferent de la meua –ell s'hi ocupava de l'Índia, Israel i Irlanda. Segons Anderson, en aquests tres països:

El partit nacionalista que arribà al poder després de la independència... es distancià del substrat confessional de la lluita sense ser mai capaç d'escometre de cara aquest llegat. En tots els casos, quan el partit de govern anà perdent a poc a poc la seua lluentor d'anys anteriors, trobà al seu costat un rival més extremat que no tenia manies a l'hora d'atiar obertament les passions teològiques desvetllades durant la lluita inicial. L'èxit d'aquests partits es devia... a la seua habilitat per articular sense complexos allò que sempre havia estat latent en el moviment nacional però que mai s'havia reconegut amb sinceritat ni s'havia rebutjat amb fermesa.[8]

Segons aquesta visió de les coses, els alliberadors tracten de «distanciar-se» dels lligams religiosos dels seus conciutadans, però no tenen el coratge o bé –a causa del seu nacionalisme– no tenen la capacitat de fer-ho obertament, explícitament i amb fermesa. La passió religiosa roman latent i no qüestionada al si del seu projecte nacionalista. Sí, certament, els militants de l'alliberament nacional crearen la nació moderna en bona part de la mateixa manera que posteriorment els inspiradors del reviscolament crearien una religió modernitzada: evocant el seu caràcter primordial, percaçant moment heroics en la seua història, i remarcant ensems els greuges i sofriments que havia patit a mans de conquistadors i opressors. Al mateix temps que són crítics –però mai suficientment crítics– de la cultura actual del seu poble, recuperen o inventen una cultura històrica susceptible de celebració. I tot això al capdavall arrossega el «substrat» de la vella religió.

D'aquesta manera la nació esdevé la presó dels seus alliberadors i la religió fonamentalista es revela com el doble que s'havia mantingut en secret del nacionalisme o –segons Anderson– el seu successor no triat però inevitable, que reclama «amb una certa justícia» que n'és l'hereu legítim. Allò que em va dir el meu amic sobre el «bessó a l'ombra» no seria gens encertat, perquè des d'aquest punt de vista l'alliberament nacional seria tan fosc com el reviscolament religiós. Tant l'un

8 Perry Anderson, «After Nehru», *London Review of Books* 34:15 (2 d'agost 2012), 27.

com l'altre són igualment particularistes i exclusius, condueixen inevitablement a la creació d'uns «altres» que són exclosos de la nació, tractats com a enemics, temuts i odiats; tant l'un com l'altre promouen una política xovinista i intolerant.[9]

Els militants de l'alliberament nacional, per descomptat, tenen una visió diferent del seu projecte. Un gran nombre pot al·legar, amb raó, que el seu refús de la vella religió fou, al llarg de molts anys, del tot explícit i absolutament coherent. I tots argüiran que el seu objectiu no és l'engrandiment de la seua nació sinó una inserció en termes d'igualtat dins de la societat de les nacions i la reciprocitat amb els «altres». Però en la mesura que són nacionalistes –i aquesta és la versió alternativa– no poden assolir aquests objectius sense mobilitzar la seua nació i en la pràctica això vol dir apel·lar als vincles de sang, als sentiments i les emocions, i a creences irracionals. Els activistes de l'alliberament nacional, d'aquesta manera, imiten els creients als quals esperen derrotar; s'apropien dels temes religiosos del martiri i la vindicació final; oposen la glòria passada i futura a la humiliació del present. Al marge del que diguen sobre els seus objectius, la lluita política que enceten no es proposa simplement la independència, la igualtat o la llibertat religiosa, sinó el triomf sobre antics enemics, molts dels quals són també membres d'una altra confessió i, doncs, infidels.

Perry Anderson limita la seua argumentació als moviments nacionalistes «en els quals la religió hi va desenvolupar un paper organitzador central des del començament, aportant-hi, per dir-ho així, el codi genètic del moviment».[10] La metàfora biològica és un error, com passa sempre quan s'escriu sobre política, però no estic en desacord amb Anderson i el seu esforç per centrar el debat. Tanmateix, em tem que hauria calgut incloure-hi molts més casos i no tan sols aquests tres –o els meus tres casos. La majoria de les històries nacionals estan íntimament lligades a històries religioses. Per això els militants han de fer un esforç tan gran per deslligar-les. Això és el que fa tan problemàtic l'alliberament nacional. Una ve-

---

9 Anderson, «After Nehru», 214. Per a una versió específicament israeliana d'aquest argument, vegeu l'obra del filòsof Adi Ophir (en una sèrie d'assaigs en hebreu) resumits i comentats en David Biale, *Not in the Heavens: The Tradition of Jewish Secular Thought* (Princeton, N.J.: Princeton University Press, 2011), 185-87. Ophir argüeix que la «dicotomia religiosa-secular assumida per gairebé tothom com la divisòria fonamental que es remuntaria als orígens del sionisme és, de fet, una il·lusió» (187).

10 Anderson, «After Nehru», 27.

gada André Malraux li va preguntar a Nehru quina havia estat la seua tasca més difícil després de la independència. Nehru respongué de primer amb algun formalisme, però després confessà, amb gran realisme: «Crear un estat just per mitjans justos», va dir, i hi afegí: «potser, també, crear un estat secular en un país religiós».[11]

Aquest projecte és especialment complicat després de segles de govern estranger i de manca d'estat propi, perquè només un estat aporta l'espai necessari al si del qual es poden establir les línies de separació entre religió i política. En un sentit profund, només els estats poden ser seculars. Sempre que l'autoritat política pren formes de tipus estatal, els seus protagonistes malden i s'esforcen per assolir la independència respecte de l'autoritat religiosa. El conflicte entre Església i Estat fou un fet d'enorme importància en la política de l'Europa medieval. I de la política europea en temps moderns. Aquest tipus de conflicte és una altra exportació europea. Els militants de l'alliberament nacional a l'Índia, Israel i Algèria, sens dubte, podien copsar-ne la importància només de fer una ullada al que passava als seus propis països, però era de profit saber, com ho sabia Nehru, que estaven immersos en una batalla que ja s'havia lliurat en temps més reculats.

La visió marxista de l'alliberament nacional sosté que secularistes com Nehru no eren suficientment seculars. No podien ser suficientment seculars mentre estigueren compromesos amb la construcció d'un estat-nació (i no, diguem-ne, un estat obrer). Inevitablement, els militants de l'alliberament donen peu a la reacció dels fanàtics religiosos. Per als militants, aquest fanatisme és un xoc. El conflicte amb els fanàtics i rigoristes és trasbalsador, fins i tot colpidor. Per als seus crítics marxistes, en canvi, el conflicte és tan sols un fenomen de superfície; les diferències doctrinals no són tan pregones i el particularisme estret d'ambdues parts i les passions que suscita, en realitat, s'assemblen molt.

De tot això se'n deriva que l'ús polític que feia Gandhi d'elements hinduistes, la seua «inclusió sense embuts del discurs religiós en l'espai polític», no és cap excepció a la norma general de l'alliberament nacional; de fet, és un clar exemple de la norma general.[12] El que tenia d'excepcional era el seu

11 B. R. Nanda, *Jawaharlal Nehru: Rebel and Statesman* (Delhi: Oxford University Press, 1995), 113 (que cita les *Antimemòries* d'André Malraux).

12 Mallampalli, «Evaluating Responses to Hindu Nationalism», 188.

pacifisme. Sí: com va escriure V.S. Naipaul, Gandhi «invocava les emocions religioses arcaiques [de l'Índia]», però això és el que fan tots els nacionalistes, fins i tot quan pensen que s'oposen a la religió. Aquestes emocions religioses arcaiques estan estretament lligades a les emocions nacionals arcaiques que són el material necessari del projecte llibertador. En realitat, els dos conjunts d'emocions són, en molts casos, virtualment idèntics. L'hinduisme com a religió universal unificada i coherent, al costat del cristianisme i l'islam, pot ser una invenció dels britànics; l'oposició entre hinduistes i musulmans pot ser, en part, conseqüència de la política imperial. Tanmateix, el cas és que les creences i pràctiques hinduistes i la manera d'entendre la desfeta i l'opressió en l'hinduisme tingué un paper fonamental en la mobilització nacional índia... i va servir alhora per a recordar als indis (hindús) que hi hagué una conquista musulmana abans de la conquista britànica. Les temptatives d'imaginar una Índia independent inevitablement havien de remuntar-se a l'època del Raj hindú.

Molts nacionalistes hindús, en temps de Nehru i posteriorment, no eren religiosos en absolut. V.D. Savarkar, l'ideòleg més important de l'Hindutva, que inventà la paraula, escrigué un llibre on defensava la idea que els hindús, no els indis, eren una nació i que l'hinduisme, en totes les seues variants, era simplement la «cultura» de la nació. Però també escrigué que l'Índia era la «terra santa» hindú, demostrant d'aquesta manera –supose– la tesi del «substrat» d'Anderson. L'Índia, segons Savarkar, era la terra santa dels hindús i de ningú més: els musulmans i els cristians indis tenien les seues pròpies terres santes, que estaven molt lluny. Les creences i les pràctiques hinduistes eren signes de pertinença a una nació, que demanava sobirania, i no pertinença a una comunitat religiosa, a la qual només li calia tolerància. O, més aviat, la nació i la religió estaven radicalment unides. Savarkar imaginà una comunitat hindú inclusiva; volia incloure-hi els jainistes i els sikhs i recuperar els homes i dones que s'havien convertit a l'islam i al cristianisme. Però només podien ser recuperats si tornaven a la «cultura» de l'hinduisme, que era de fet una cultura religiosa.[13]

Ashis Nandy, un dels crítics de l'alliberament nacional adscrit al corrent postcolonial, té raó, sens dubte, quan apun-

13 V D. Savarkar, *Hindutva* (Nova Delhi: Hindi Sahitya Sadan, 2003), 84, 92, 113, 126.

ta que als ideòlegs de l'Hindutva no els agradava realment l'hinduisme tradicional, que és «massa divers, feminitzat, irracional, escassament versat en les complexitats del món modern, i massa panteista, pagà, ingenu i anàrquic per a dirigir un estat com cal».[14] Volen una religió amb més múscul per a impulsar el seu projecte nacionalista, però aquest projecte, a diferència de l'alliberament, manté la dependència respecte d'una base religiosa.

Sovint els teòrics de l'Hindutva com Savarkar i l'encara més radical M.S. Golwalkar es comparen a si mateixos amb els sionistes, que també reivindicaven una nació que moltes vegades s'havia definit com una comunitat religiosa. La diferència és que el sentit jueu de poble era més clar, almenys per als jueus o per a la gran majoria: *Am Yisrael*, el poble d'Israel, era el nom més comú per a designar als jueus entre els jueus mateixos. Els sionistes volien crear una nació moderna a partir d'una d'antiga (i decadent, haurien dit ells), però els ingredients necessaris per crear-la ja existien: no només una història, una cultura i una llei comuna, totes les quals volien transformar els sionistes, sinó també un sentiment fortíssim de pertinença comuna. La construcció de la nació era una ambició sionista, però no una fabricació del sionisme; els oponents seculars més forts dels sionistes, els qui defensaven la Jueria de la Diàspora i advocaven per l'autonomia a l'Europa oriental (i on fos), també creien fermament en la condició nacional. Els Jueus ortodoxos, tot i que tenien una idea radicalment diferent del poble jueu, mai no dubtaren de la seua existència. Els jueus reformats d'Occident afirmaven que eren només una confessió religiosa, els membres de la qual eren nacionals alemanys, francesos o britànics, però la majoria dels seus veïns gentils majoritàriament no hi estaven d'acord. La idea d'una nació jueva no era de cap manera nova o sorprenent.[15]

La nacionalitat hindú, en canvi, fou una construcció ideològica del tot desconeguda per a la majoria dels hindús. Fins i tot entre els seus defensors i partidaris tingué una vida curta. Quan perfilaven aquesta nació ideològica i n'establien

14 Mallampalli, «Evaluating Responses to Hindu Nationalism», 175.

15 Un punt de vista oposat en Shlomo Sand, *The Invention of the Jewish People*, trad. Yael Lotan (Londres, Verso, 2009). Sand dona una versió específicament jueva d'un argument bastant corrent: que la nació és una invenció del segle XIX. La refutació d'aquest punt de vista per Anthony D. Smith a *Nations and Nationalism in a Global Era* (Cambridge, U.K.: Polity Press, 1995), cap. 2, em sembla convincent. Vegeu així mateix Anthony D. Smith, *National Identity* (Londres: Penguin Books, 1991).

les fronteres, els teòrics de l'Hindutva no podien evitar recór-
rer a marcadors religiosos d'un tipus verament extrem. Així,
en la descripció que va fer en 1938 de l'Hindustan del futur,
Golwalker escrigué:

> Els no hindús d'Hindustan han d'adoptar la cultura i les
> llengües hindús... aprendre i respectar i mostrar reverència
> a la religió hindú... no sostenir altres idees sinó la glorifi-
> cació de la raça i la cultura hindú... en un mot, deixar de
> ser estrangers... o bé, en cas de romandre al país, estaran
> totalment subordinats a la nació hindú, sense exigir res,
> sense cap privilegi i menys encara cap tractament prefe-
> rencial... ni tan sols drets de ciutadania.[16]

La línia que va d'una cosa com aquesta al fanatisme religiós
obert és ben fàcil de traçar. No tant la línia que hi aniria des del
nacionalisme del Partit del Congrés, els ideòlegs del qual, com
per exemple Nehru, destacaven que l'Índia era «composta» o
«sincrètica» i no simplement hindú. I tampoc la que aniria des
del sionisme laborista, els protagonistes del qual no mostraven
cap tendència a reverenciar el judaisme, i menys encara a exigir
als altres que ho feren. Certament no hi manquen nacionalistes
i fanàtics ortodoxos als quals els agradaria que l'estat d'Israel
fos escenari del mateix entrellaçament radical de la nació i la
religió que preconitzaven els teòrics de l'Hindutva, de forma
que el judaisme hi seria l'únic criteri de ciutadania i la llei jueva
determinaria la legislació estatal. Però un objectiu central de la
majoria dels sionistes fou separar allò que Savarkar i Golwalkar
maldaven per fondre. Els sionistes volien un estat secular on
els jueus religiosos es trobarien a casa seua, d'una manera com
no s'hi havien trobat mai en cap dels seus països d'exili, però
que també acolliria com a ciutadans amb iguals drets els jueus
no religiosos i els no jueus.

Savarkar es considerava a si mateix un home il·lustrat, un
racionalista secular, però, com ha escrit Nandy, havia arribat
«paradoxalment a la conclusió que només la religió podia ser
l'element constructiu eficaç per a la formació de la nació i l'estat
a l'Àsia del sud». El seu tipus de nacionalisme era el bessó a
l'ombra del fanatisme religiós. Però al llarg de la seua existèn-
cia, diu Nandy, «va romandre als marges de la vida política

16 Guha, *India after Gandhi*, 35.
Vegeu també la discussió de la ideologia
de Golwalker en Martha C. Nussbaum,
The Clash Within: Democracy, Religious
Violence, and India's Future (Cambrid-
ge, Mass.: Belknap/Harvard University
Press, 2007), 160-64.

LA PARADOXA DE L'ALLIBERAMENT

índia».[17] ¿Com és, doncs, que es va desplaçar pòstumament cap al centre d'aquesta?

Segons la interpretació marxista de l'alliberament nacional, no hi ha cap secret en això, la pregunta té fàcil resposta: la política de Nehru estava més a prop de la de Savarkar del que cap dels dos no hauria admès mai. Respondré com cal a aquesta argumentació, també pel que fa als casos israelià i algerià. Per conseqüent, començaré reconeixent que l'amor jueu a Sió, la terra santa original, fou un fonament necessari de la política sionista. Els militants del sionisme laborista, tots d'orientació laica, no podien sinó evocar aquesta emoció religiosa encara que podien coincidir amb el que havia afirmat Hillel Zeitlin: «la mateixa tradició que és una càrrega per a nosaltres a la Diàspora serà mil vegades més pesant a *Eretz Yisrael*». L'amor a Sió va fer impossible el projecte Uganda, com he mostrat al capítol 2, i s'expressa amb tota la força al *Hatikva*, l'himne nacional d'Israel, que els ciutadans àrabs tenen aversió a cantar perquè dona expressió a un enyor i un anhel peculiarment jueus de la «Terra d'Israel».

El cas és el mateix a Algèria. Els àrabs arribaren al Magrib com un poble conqueridor. L'islam fou la raó per a la conquesta i posteriorment el fonament ideològic del poder àrab. Molts segles després fou potser la raó principal per la qual els algerians no s'identificaven com a francesos i es resistiren a la incorporació d'Algèria a la República francesa. L'adhesió políticament oportunista de l'FLN als «principis de l'islam» podria ser que tingués més conseqüències del que pensaven els líders del moviment. El seu pas enrere pel que fa a la qüestió de la dona certament suggereix el que podríem anomenar un desplaçament «natural» des de l'alliberament nacional cap al reviscolament religiós.

Així, la tesi central de la interpretació marxista (amb la qual molts acadèmics liberals hi estarien d'acord) és aquesta: el particularisme és particularisme, ja es declare nacional o religiós. Des d'un punt de vista universalista, les versions seculars i religioses del nacionalisme indi, jueu o algerià són més aviat indistingibles. S'alimenten l'una a l'altra i si es frustren les millors intencions dels militants seculars, la frustració és culpa seua, perquè és la conseqüència necessària del seu naciona-

---

17 Ashis Nandy, «The Demonic and the Seductive in Religious Nationalism: Vinayak Damodar Savarkar and the Rites of Exorcism In Secularizing South Asia» (Heidelberg University, South Asia Institute, Working Paper No. 44, febrer 2009), 5-6.

lisme. En canvi, l'universalisme del relat alternatiu deriva de principis internacionalistes, que es basen en la classe social i els interessos econòmics, i no en nacions i religions.

Aquests principis, els il·lustra molt bé G. Aloysius, un historiador i sociòleg indi, segons el qual el moviment nacionalista, precisament per les seues afinitats religioses, va impedir la maduració de les masses i la seua «constitució... en una nova comunitat política basada en els seus interessos». La molt esbombada campanya contra la situació dels intocables, escriu, «reduí una lluita total... contra la jerarquia per adscripció a una lluita simbòlica i nominal en favor d'una minoria de les castes dels intocables».[18] No hi ha dubte que el sistema de castes feia difícil, i encara ho fa, la política basada en la classe a l'Índia, però no està gens clar que s'estigués covant un aixecament de tots els grups subalterns indis, i que aquest moviment fos desviat pels nacionalistes del Congrés i reduït a una campanya merament simbòlica contra la situació dels intocables. Aloysius repeteix ací un argument més antic, enunciat abans que ell per M.N. Roy, el fundador del Partit Comunista Indi i el seu intel·lectual més important (fins que en fou expulsat el 1928), segons el qual el Moviment de la No-Cooperació promogut per Gandhi en 1920-22 havia «mort la revolució». L'alliberament nacional, afirmava Roy, només hauria pogut vèncer si el Congrés hagués estat disposat a «mobilitzar l'energia revolucionària de les masses treballadores». Em tem, però, que la «lluita total» d'Aloysius i aquesta «energia revolucionària» de Roy existien més en la teoria que no en la pràctica. O, millor dit, haurien d'haver existit i són evocades per aquests dos autors com si de veritat hagueren existit.[19] Qualsevol militant de l'alliberament que hagués confiat i hagués basat la seua acció en la maduresa política de les masses treballadores hauria acabat encapçalant no un moviment social, sinó una secta aïllada.

El projecte marxista fracassà o, com a mínim, no ha reeixit encara. Els promotors de l'alliberament nacional no s'han vist desplaçats per l'emergència de les masses com una força

---

18 G. Aloysius, *Nationalism without a Nation in India* (Nova Delhi: Oxford University Press, 1997), 181, 185.

19 M. N. Roy, *The Aftermath of Non-cooperation* (Londres: Communist Party of Great Britain, 1926), 128; vegeu també Aloysius, *Nationalism without a Nation*, 171: «Les masses clamaven per la demolició de l'ordre social bramànic mentre que les castes superiors lluitaven per la reencarnació d'aquest ordre com a ideologia nacionalista a través de les categories liberals occidentals». En realitat el clamor fou menys visible (o audible) que la lluita.

política madura. Tampoc no han estat substituïts, en absència de les masses, per l'avantguarda revolucionària del proletariat mundial. I fins i tot si aquesta substitució s'hagués produït, els militants d'avantguarda s'haurien vist confrontats amb el mateix problema amb què es trobaren els alliberadors: s'haurien trobat en guerra amb el mateix poble els interessos del qual deien que defensaven. En el fons, probablement la seua guerra hauria estat encara més forta perquè no eren només els sentiments religiosos dels homes i dones corrents el que els militants de l'avantguarda no haurien pogut o sabut reconèixer, sinó també els fonaments nacional-culturals de la vida d'aquests homes i dones corrents.

Mirant d'agrupar el poble, els internacionalistes marxistes haurien invocat principis universals, no emocions «arcaiques». Haurien promogut una mobilització cosmopolita i no particularista. Políticament, haurien defensat una nova solidaritat dels oprimits més enllà de totes les fronteres de tipus nacional o religiós. Hindús i musulmans, jueus i àrabs, algerians i *pied noirs*, tots s'haurien trobat treballant plegats, colze a colze, com a aliats globals contra l'eix global del capitalisme i l'imperialisme. Els crítics post-marxistes del nacionalisme encara prediquen aquesta aliança global.

És, sens dubte, una visió bonica, potser la representació més autèntica del secularisme i la Il·lustració. Però mai es va fer realitat i hauríem de reflexionar, ni que siga breument, sobre el fracàs dels revolucionaris cosmopolites, i sobre l'èxit –tot i que amb matisos– de l'alliberament nacional. No és que els revolucionaris no tingueren sort. L'internacionalisme proletari no ha reeixit enlloc a desplaçar, ni tan sols per un període breu de temps, la identificació nacional. Marx potser tenia raó quant a la importància dels interessos de classe, però no hi ha dubte que s'equivocava pel que fa a la capacitat d'atracció relativa de la política basada en la classe i la basada en la nació. A tot arreu el govern estranger s'ha viscut com una forma d'opressió *nacional*, les misèries de la qual eren compartides per totes les classes socials. L'oposició al govern estranger travessava les divisòries de classe. Encara que l'oposició fos iniciada i dirigida per grups de classe alta o mitjana, els obrers i els camperols s'hi afegien. Després del triomf de l'alliberament nacional potser vindrà –o no vindrà– un moviment d'alliberament cosmopolita: això és encara una qüestió oberta. Però mai no ha vingut abans i els esforços esmerçats a fer que vinga primer no condueixen a res semblant a un alliberament.

Els militants de l'alliberament, d'altra banda, no renuncien mai de grat a l'objectiu d'aconseguir la independència política i un estat-nació sobirà, això és el que volen. Els austromarxistes, que reconeixien el valor de la cultura nacional alhora que no veien la necessitat de la sobirania, varen fer la temptativa més interessant d'acomodar l'aspiració nacionalista dins d'un marc internacionalista. Així com els promotors de l'alliberament nacional tenien un objectiu, consistent a aconseguir un estat com els altres estats, aquests intel·lectuals revolucionaris tenien també un objectiu, que era, concretament, un imperi diferent als altres imperis. S'oposaven al nacionalisme com a ideologia política i afavorien la incorporació de diverses nacions dins d'una única entitat política. Això era justament el que havien aconseguit els vells imperis, però la incorporació imperial significava també la subordinació a un únic poder dominant: els otomans, els britànics, els francesos, els Romanov, els Habsburg. Els austromarxistes, en canvi, aspiraven a un imperi sense dominació i sense subordinació.[20]

El seu model estructural era l'imperi multinacional en el qual vivien: Àustria-Hongria. No volien trencar aquesta entitat política, volien transformar-la i garantir una ciutadania igual a tots els seus habitants i «autonomia cultural» a les nacions prèviament subordinades. Com ha explicat John Schwarz-mantel: «Cada associació nacional regularia els seus propis assumptes a través d'unitats administratives nacionalment separades i autogovernades». Les minories nacionals en àrees «mixtes» serien «salvaguardades a través de la seua constitució en organismes públics amb drets definits».[21] L'autogovern, però, no interferiria en la planificació econòmica ni tractaria de competir amb l'estat democràtic. Quan Otto Bauer escrivia que «la societat socialista presentarà sens dubte un paisatge variat d'agrupaments nacionals... i organismes territorials; serà tan diferent de la realitat centralitzada i atomística dels estats actuals com de l'organització igualment variada i complexa de la societat medieval», no apuntava a negar-li a la classe obrera el seu triomf tan singular o a posar en qüestió la construcció d'una economia socialista. El «paisatge variat» seria de caràcter cultural i religiós: les nacions hi serien «encoratjades a desenvolupar-se autònomament i a gaudir lliurement de la seua

20 Tom Bottomore i Patrick Goode, eds., *Austro-Marxism* (Oxford, U.K.: Clarendon Press, 1978), chap. 3.

21 John Schwarzmantel, *Socialism and the Idea of the Nation* (Nova York: Harvester Wheatsheaf, 1991), 168; també 156-58.

cultura nacional», però no controlarien les seues economies, i no tindrien la seua pròpia policia.[22]

La de Bauer és una altra visió atractiva. Si considerem l'Europa oriental d'avui, em fa l'efecte que és difícil negar que un Imperi Austro-hongarès democratitzat, amb autonomia cultural per a totes les seus nacions sotmeses, hauria estat un resultat polític millor que el que produïren els militants de l'alliberament nacional (o, millor, els militants nacionalistes). De manera semblant, una versió democratitzada de l'Índia imperial, amb autonomia cultural per als hindús i els musulmans, així com per a altres grups, podria haver evitat el desastre de la partició, i hauria pogut ser quelcom de millor que el que va produir l'alliberament nacional. L'únic problema és que aquestes solucions millors no tenien ni de bon tros el suport polític necessari. No atreien els tradicionalistes, tot i que l'autonomia els hauria pogut servir. I no atreien els alliberadors, que tenien projectes molt més propis i singulars en ment. Però el que fou probablement més important en el fracàs de l'internacionalisme marxista fou la creença àmpliament compartida que només la sobirania podia garantir la supervivència dels grups nacionals i religiosos (i potser també la supervivència física dels seus membres), i que només la sobirania podria reportar la plena igualtat al si de la societat d'estats ja existents.

Ara bé, del fracàs de l'internacionalisme en la pràctica no se'n segueix que la crítica teòrica de l'alliberament nacional siga errònia. Supose que la «unitat de la teoria i la pràctica», que és obligada, ens exigiria ser escèptics a hores d'ara pel que fa a l'internacionalisme marxista, i concloure que si la pràctica ha fracassat, llavors la teoria probablement presenta problemes. Però la crítica de l'alliberament nacional és també una crítica moral, que manté que els promotors de l'alliberament nacional tenen la seua quota de responsabilitat pel que fa als aspectes «foscos» del nacionalisme contemporani, incloent-hi els que deriven del fanatisme religiós. ¿Per ventura ha de ser veritat això, atès que un nombre tan gran de militants de l'alliberament nacional eren aferrissadament antireligiosos? No hi ha dubte que el secularisme era una novetat per als indis, els jueus i els algerians; la separació entre religió i política era un artefacte de la política d'alliberament, i per conseqüent artificial. Qualsevol temptativa de trobar temes «alliberadors» en la història

22 Otto Bauer, «Socialism and the Principle of Nationality», a Bottomore i Goode, *Austro-Marxism*, 117.

NEGACIÓ DE LA PARADOXA. PERSPECTIVES MARXISTES

d'aquests pobles, moments d'independència, activisme, solidaritat i sacrifici d'un mateix, inevitablement havia de pouar en esdeveniments i creences curulles de religió. Els objectius col·lectius dels moviments d'alliberament nacional es solapaven i s'expressaven sovint amb el llenguatge de les esperances i somnis religiosos. Tot això és cert; i ja hem vist abans que Gandhi no era l'únic que evocava emocions «arcaiques».

D'altra banda, els principis seculars eren una altra cosa, molt diferent, i és important partir d'aquesta diferència per a reconèixer el valor del projecte d'alliberament per als seus militants i d'argüir, com faré al darrer capítol d'aquest llibre, que valdria la pena completar o consumar aquest projecte. Així, considerem una vegada més la creença jueva segons la qual el Messies farà retornar el poble exiliat a casa, a la Terra d'Israel. Aquest retorn esdevingué un objectiu central del sionisme, però ara es concebia com un projecte polític, subjecte a totes les vicissituds de la política, que implica organització, finançament, diplomàcia, pactes i possiblement (tema de debats aferrissats) l'ús de la força. La idea d'esperar a la intervenció divina fou finalment rebutjada, però aquesta idea es troba al cor del judaisme d'exili.[23]

És el mateix que passa amb la idea religiosa de «colonitzar la terra». La màxima sionista «Un *dunam* [Una jovada] més i una cabra més» no és tan sols una versió prosaica d'aquesta idea, n'és també una versió transformada, centrada ara en l'esforç humà i oberta a la necessitat de compromisos i de límits. La idea religiosa no admet la possibilitat de dividir la terra, però dividir els *dunam* [les jovades] és una possibilitat real. El reviscolament religiós, per descomptat, genera les seues pròpies transformacions: quan els jueus fanàtics s'embarcaren en la tasca pràctica de colonitzar la terra després de la Guerra dels Sis Dies del 1967, no es van esperar al Messies; més aviat el que feren fou «forçar la fi» (per emprar el vell llenguatge religiós). Però actuaven amb el sentiment que la fi estava molt a prop, que estaven al caire de temps messiànics, que l'èxit

---

23 David Ben-Gurion parlava en termes messiànics sobre el retorn a Sió, però quan un grup d'intel·lectuals sionistes el va criticar per això insistí en què ell tenia una visió laica del messianisme: era obra humana, una tasca política, prolongada i potser sense fi. «Necessitem el messies», va escriure, «encara que potser no vindrà».. Vegeu Nir Kadar, «David Ben-Gurion's Use of Messianic Language», *Israel Affairs* 19:3 (juliol 2013), 393-409; una visió menys favorable del messianisme de Ben-Gurion a Mitchell Cohen, *Zion and State: Nation, Class and the Shaping of Modem Israel* (Oxford, U.K.: Basil Blackwell, 1987), 206-9.

de la seua actuació estava garantit per Déu, tot plegat idees que feien absolutament inconcebibles per a ells les idees de compromís i de límit.

Passa una cosa molt semblant amb el «socialisme islàmic» que predicaven alguns militants de l'FLN, que a la fi resultà ser, quan la teoria donà pas a la pràctica, un socialisme d'estat marxista decorat amb uns quants versicles de l'Alcorà. L'adjectiu «islàmic» no va aportar gaire cosa a modificar el substantiu. L'«estat social» que prometien tots els manifestos de l'FLN desafiaven l'acceptació musulmana tradicional de la propietat privada i no comportaven la submissió del poble algerià a la llei islàmica o xaria. Així, els promotors del reviscolament religiós de la dècada de 1980 no invocaven, segons podria suggerir l'argument d'Anderson, el que hi havia de «latent» en la idea de l'estat social o del socialisme islàmic, perquè rebutjaven tant l'un com l'altre.[24]

Bé es pot dir que el projecte alliberador va fer possible el fanatisme del reviscolament religiós –històricament això és cert–, però de la mateixa manera que es pot dir amb raó que la Il·lustració va fer possible la Contra-Il·lustració. Ara bé, dubte molt que siga moralment just blasmar els alliberadors pel sorgiment dels fanàtics religiosos. Seria una equivocació ignorar la diferència entre les dues maneres de colonitzar la Terra d'Israel. Així mateix, seria una equivocació no parar esment a la diferència que hi ha entre la crítica de Gandhi i Nehru a la situació dels intocables, per incompleta que fos, i la defensa que fan els nacionalistes hinduistes de l'«organit-zació funcional de la societat». L'hinduisme no estava implícit en les insuficiències de la crítica de Nehru i no es pot dir que vinga d'ací. És molt més exacte dir que és una derivació de l'èxit (parcial) de l'alliberament nacional. Com ha apuntat Thomas Blom Hansen, l'Hindutva és una reacció conservadora contra una àmplia «transformació democràtica tant del camp polític com de la cultura pública a l'Índia post-colonial».[25] Em sembla clar que fa referència a una transformació igualitària. Certament, els nacionalistes hinduistes han fet un bon ús de la democràcia, que ha inserit els seus seguidors –prèviament passius, desarticulats i instal·lats en les rutines de l'antiga religió– en la vida política. Recordem l'explicació del gran

24 Ricardo René Laremont, *Islam and the Politics of Resistance in Algeria, 1783-1992* (Trenton, N.J.: Africa World Press, 2000), 148-49.

25 Thomas Blom Hansen, *The Saffron Wave: Democracy and Hindu Nationalism in Modern India* (Princeton, N.J.: Princeton University Press, 1999), 4-5.

predicament del nacionalisme hinduista que donava Bhargava: la propensió de la democràcia representativa «a encoratjar la mobilització política etno-religiosa». Un altre signe de la paradoxa de l'alliberament nacional és precisament això, el fet que la mobilització que promou es puga girar, i (en part) s'ha girat efectivament, contra la igualtat social i de gènere. Contra l'alliberament, al capdavall.

La distància i el contrast entre la política dels militants de l'alliberament i la dels fanàtics religiosos es pot enfocar també d'una altra manera. Els tres moviments d'alliberament nacional considerats en aquestes pàgines afirmaven que es proposaven construir un estat democràtic i un ordre legal just. I en tots tres casos la democràcia i la justícia s'entenien en general segons criteris estàndard, és a dir, europeus. (A Algèria, l'estat de partit únic s'inspirà en criteris d'Europa oriental). No diria tan directament que la democràcia i la justícia són ideals universals, però això és el que pensava la majoria dels militants. Imitaven els valors de la Il·lustració europea, que s'expressen en termes universals i que, certament, posaven els militants contra el particularisme del seu propi poble. Eren nacionalistes que volien equiparar la seua nació amb els principis establerts arreu; de fet, el seu compromís amb aquests principis era probablement més fort que el dels seus crítics marxistes. (Algèria, de nou, és una excepció parcial en aquest punt.)

Els militants alliberadors volien afegir-se a la societat d'estats, que en els seus orígens era una societat europea però que tenia ambició de ser una societat mundial. Volien, com deien els sionistes, ser «normals». En canvi, els fanàtics religiosos volen ser diferents. No aspiren a un estat com tots els altres estats; volen un estat modelat segons la seua pròpia interpretació o reinterpretació d'una tradició religiosa particular. Per això s'oposen al que en diuen el discurs mimètic de la democràcia i els drets humans i invoquen, en canvi, la cultura hindú i els «valors asiàtics» o la llei jueva o la llei islàmica.

El mateix contrast pot observar-se també pel que fa al tractament de les noves minories generades pel procés d'alliberament nacional –musulmans a l'Índia, àrabs a Israel, berbers a Algèria-, un punt en el qual la crítica marxista i universalista del nacionalisme es desplega aparentment amb la màxima força. Fins ara he posat el focus en la relació no exempta de tensió entre els militants de l'alliberament i el seu propi poble, però una de les fonts d'aquesta tensió prové del compromís dels militants amb la igualtat dels altres pobles. Perquè aquests «altres» havien estat sovint objecte del menyspreu religiós tradicional (i, posteriorment, nacionalista); en la pràctica o en principi, estaven condemnats a una posició subordinada. ¿Què passaria amb ells una vegada aconseguida la independència?

Els alliberadors estaven compromesos abans que res amb el ressorgiment de la seua pròpia nació, però en el cas indi aquesta nació era concebuda de bon començament com el marc que inclouria tant als hindús com als musulmans. Els militants del Partit del Congrés rebutjaven la pretensió de Mohammed Ali Jinnah en el sentit que els musulmans constituïen una nació per ells mateixos, a part, de la mateixa manera que rebutjaven la posició dels nacionalistes hinduistes. El seu estat inclouria només una nació, la nació índia, però atès el caràcter «compost» d'aquesta nació, se suposava que seria també un estat àmpliament inclusiu. En el mateix sentit, els estats que projectaven els sionistes laboristes i l'FLN eren àmpliament inclusius, de manera que els membres de la nació ressorgida compartirien la ciutadania amb els no-membres (com els àrabs a Israel) i amb el que ara es percebia com a minories al si de la nació (com els berbers a Algèria). No puc dir que els alliberadors, cap d'ells, reeixiren en el seu propòsit d'inclusió. Com tots els altres moviments d'esquerres al llarg de la història universal, no assoliren plenament els seus objectius. Però sí que vull remarcar que els seus principis originals, els seus programes polítics, eren significativament diferents dels d'aquells nacionalistes religiosos que vingueren després. Els seus programes foren importants perquè posaren la base de la crítica, encara viva, a propòsit del que aconseguí l'alliberament nacional i el que no aconseguí. (Considereu el punt sobre la igualtat en la Declaració d'Independència dels Estats Units, que posà la base per a la crítica del sistema esclavista que els revolucionaris es negaren a abolir; aquest punt encara fou central en les lluites dels activistes dels drets civils en la dècada de 1960.)

Abordarem en primer terme el cas algerià. L'FLN plantejava des del principi un estat unitari amb igualtat plena per a tots els seus ciutadans. La Plataforma política de Soummam identificava els europeus i els jueus com les minories futures que més caldria protegir i integrar. Tot i que hi havia un nombre significatiu de berbers (sobretot de la Cabília) en la direcció de l'FLN, que a més participaren en la redacció de la Plataforma, no s'hi va dir res o, fins on jo sé, tampoc en cap altre document o declaració, sobre l'autonomia o la igualtat lingüística de la comunitat berber, que després resultà la minoria més important al nou estat.[26] Una vegada assolida la independència i quan quasi tots els europeus i els jueus se n'havien anat, el govern de l'FLN, primer el de Ben Bella i després el de Boumedian, llançà una brutal campanya d'arabització, que comportava una renúncia a l'alliberament en favor d'un nacionalisme ultrancer. El resultat en va ser un breu aixecament a la Cabília i posteriorment, gairebé vint anys després, a la dècada de 1980, una «Primavera Berber» que fou el començament d'una agitació, encara activa, en favor del reconeixement per l'estat de la llengua, la cultura i la història del poble berber.[27]

L'FLN en el poder sempre s'ha oposat a aquesta agitació. Però el moviment d'alliberament que fou, encara té veu en la política algeriana: està representat per militants que es veieren tancats a la presó o que hagueren de marxar a l'exili en els anys posteriors a1962 i que continuaren el combat per una democràcia secular. Frantz Fanon morí de leucèmia el 1961, per la qual cosa no en formava part, d'aquest grup, com bé hauria pogut passar. Hocine Ait Ahmed, un dels membres berbers dels Nou Històrics, fou potser el millor portaveu d'una política d'alliberament en marxa. Dirigí el Front de Forces Socialistes (FFS), un partit polític nacional que troba suport sobretot a la Cabília. Ait Ahmed passà a l'oposició i hagué d'exiliar-se poc després de la independència, perquè discrepava de la creació d'un estat de partit únic. Els anys següents va defensar, amb gran coratge, una política laica, pluralista i democràtica. A les eleccions locals de 1990 i a les eleccions nacionals de 1991, quan els islamistes agranaren en tot el país, la Cabília va romandre un bastió secular i votà majoritàriament per l'FFS.[28]

Durant els anys colonials, els francesos promocionaren els berbers, en contrast amb els àrabs, com si foren quasi-europeus, considerant-los els vehicles naturals de la cultura francesa a Algèria. No voldria seguir aquest joc. Molts algerians àrabs, nacionalistes i demòcrates seculars, que poden reclamar amb raó la seua procedència de l'FLN original, s'han oposat amb fermesa al radicalisme islamista. Ara bé, en la redacció de la

26 Alistair Home, *A Savage War of Peace: Algeria, 1954-1962* (Nova York: Viking Press, 1977), 143-46; «Plateforme de la Soummam pour assurer le triomphe de la révolution algerienne dans la lutte pour l'independance nationale», 19-22 (sobre les minories europea i jueva). El text de la plataforma es pot trobar a Internet.

27 Martin Evans i John Phillips, *Algeria: Anger of the Dispossessed* (New Haven: Yale University Press, 2007), 122-24.

28 Evans i Phillips, *Algeria*, 154-55, 169-72; Laremont, *Islam and the Polities of Resistance*, 136.

Plataforma política de Soummam, de caire secular, «la iniciativa fou... dels cabilenys [berbers], i no dels àrabs». En el decurs dels anys posteriors a 1962, els berbers foren exclosos dels nivells directius del règim arabitzador de l'FLN, que deixà de ser una força d'alliberament: no ho era per a les dones, com ja hem vist, ni per a les minories.[29] Tanmateix, l'estat creat per l'FLN era secular i si mai és substituit per un estat islàmic, no hi ha cap mena de dubte que les dones s'hi trobarien en pitjors condicions i els berbers probablement també. Els berbers són bons musulmans (al segle XII eren els islamistes del Nord d'Àfrica i Espanya), però la identitat ètnica que conreen i exalcen, al cap i a la fi, és pre-islàmica.

Els sionistes laboristes en el poder ho feren millor que l'FLN perquè evitaren l'autoritarisme i la brutalitat, però tampoc ells aconseguiren estar a l'alçada dels seus principis igualitaris. L'estat que crearen en maig de 1948 era un estat jueu però al mateix temps un estat secular en el qual els drets de les minories nacionals i religioses quedaven garantits en la Declaració d'Independència. Israel heretà sense grans canvis el sistema de *millets* que havia implantat l'Imperi Otomà i que els britànics havien mantingut. Els àrabs cristians i musulmans tenen els seus propis tribunals per afers de família, que fan servir la seua pròpia llengua, amb jutges que imparteixen justícia d'acord amb la seua llei religiosa, igual com fan els jutges jueus. Però aquest arranjament igualitari, que deu més a l'imperialisme il·lustrat que a l'alliberament nacional (els alliberadors seculars no consideren els *millets* religiosos un benefici per a ningú), no ha tingut equivalent en la societat o l'economia, on s'ignorava en gran mesura el compromís amb la igualtat. La discriminació i la postergació han estat característiques molt esteses en el tractament donat a la minoria àrab per l'estat, per bé que trobe just afirmar que al si d'Israel s'hi han evitat les pitjors formes d'abús. A Israel funcionen lliurement partits polítics àrabs i un nombre considerablement elevat de ciutadans àrabs voten en les eleccions israelianes (els jueus voten en una proporció més gran). No té cap sentit dir que el fanatisme religiós que prolifera a l'Israel actual és una conseqüència natural del nacionalisme dels sionistes laboristes. Lluny d'això, és una conseqüència, com a l'Índia, de la democràcia que construïren els sionistes laboristes i, en un segon moment, del seu fracàs a l'hora de configurar una cultura secular forta i coherent que hagués

29 Home, *Savage War of Peace*, 144.

acompanyat aquesta democràcia. Els fanàtics religiosos representen el retorn del que havia estat «negat» només de forma incompleta. La seua oposició a la igualtat dels «altres» no és una continuació de la política sionista anterior, sinó el repudi d'aquesta política o, si més no, de la seua versió dominant.[30]

Considerem aquestes paraules de David Ben-Gurion, pronunciades en una assemblea del Mapai, el partit polític que governà Israel durant les seues tres primeres dècades, celebrada a finals de 1947, després que l'ONU votés a favor de la partició:

> Hem de pensar en termes d'un estat, en termes d'independència, en termes de plena responsabilitat per nosaltres mateixos, i pels altres. Al nostre estat hi haurà també no-jueus i tots ells seran ciutadans iguals, iguals en tot sense excepció, és a dir, l'estat serà també el seu estat. L'actitud de l'estat jueu envers els seus ciutadans àrabs serà un factor important –per bé que no l'únic en l'establiment de bones relacions de veïnatge amb els estats àrabs. L'aspiració a una aliança jueva-àrab ens exigeix l'acompliment d'obligacions a les quals ens hauríem d'atenir en qualsevol circumstància: igualtat plena i real, de iure i de facto, de tots els ciutadans de l'estat, igualació gradual dels nivells de vida en termes econòmics, socials i culturals de la comunitat àrab amb la comunitat jueva, reconeixement de l'àrab com la llengua dels ciutadans àrabs en l'administració, tribunals de justícia i sobretot a les escoles; autonomia municipal de pobles i ciutats, etc.[31]

Altres polítics israelians tenien posicions molt diferents de la que s'anunciava ací. Però aquesta és una declaració solemne d'un futur primer ministre adreçada al cercle intern del seu propi partit. Podem considerar-la com una visió en la línia alliberadora d'un estat en pau amb els seus veïns. La invasió del nou estat, en 1948, per cinc exèrcits àrabs ha de ser considerada com una de les raons –probablement la raó principal per les quals cap dels governs que presidí Ben-Gurion va dur a terme els compromisos que enunciava al discurs suara reproduït. La igualtat que prometia no s'ha verificat mai en les

30 Reconstruccions ben útils de l'expansió del fervor religiós i del nacionalisme dels colons immediatament després de 1967, a Gershom Gorenberg, *The Accidental Empire: Israel and the Birth of the Settlements, 1967-1977* (Nova York: Henry Holt, 2008); i a Gadi Taub, *The Settlers and the Struggle over the Meaning of Zionism* (New Haven: Yale University Press, 2010).

31 Efraim Karsh, *Fabricating Israelí History: The «New Historians»* (Londres: Frank Cass, 1997), 67.

quasi set dècades d'història d'Israel. Però és molt important destacar que la igualtat era per a Ben-Gurion, així com per als algerians autors de la Plataforma política de Soumman, coherent amb el projecte d'alliberament nacional, i fins i tot exigida. Això té una rellevància molt real, perquè la igualtat no era coherent amb la religió tradicional o el nacionalisme religiós que vingué després, i ni l'una ni l'altre exigien tampoc aquesta igualtat.

Abans de tornar, en el capítol següent, al debat indi sobre aquestes qüestions, en el qual els autors postcolonials hi han tingut el paper més destacat, em detindré en la citació d'un discurs i una carta que tenen moltes semblances amb el discurs de Ben-Gurion del 1947. El discurs fou pronunciat en la sessió inaugural de l'Assemblea Constituent Índia, on s'havia de redactar la Constitució de l'Estat que s'acabava de crear. L'orador era Rajendra Prasad, president de l'Assemblea i posteriorment primer president de l'Índia, i responia en aquests termes al boicot de l'assemblea per membres de la Lliga Musulmana.

> Els qui som presents ací no podem oblidar ni per un instant que molts dels escons es troben buits en aquesta sessió. Els nostres germans de la Lliga Musulmana no estan amb nosaltres, i la seua absència acreix la nostra responsabilitat. Caldrà que pensem a cada pas, què haurien fet si haguessen estat entre nosaltres? Tinc confiança que finalment vindran i ocuparan el seu lloc. Però si malauradament això no passa i aquests escons han de romandre buits, el nostre deure serà elaborar una Constitució que no deixe cap marge per a la queixa de ningú.[32]

La carta fou escrita per Nehru als seus ministres, acabats de nomenar tres mesos després de la partició:

> Tenim una minoria musulmana que és tan gran en nombre que no podria anar, ni que volgués, enlloc. Aquest és un fet bàsic... Més enllà de les provocacions de Pakistan o de les indignitats i els horrors que s'hagen pogut infligir als no musulmans, nosaltres hem de tractar aquesta minoria d'una manera civilitzada. Hem de donar-los la seguretat i els drets de ciutadans d'un estat democràtic. Si no fem això,

---

32 Aditya Nigam, *The Insurrection of Little Selves: The Crisis of Secular Nationalism in India* (Nova Delhi: Oxford University Press, 2006), 313. Prasad era un dels líders més conservadors del Partit del Congrés. Un dels biògrafs de Nehru el situa com «una figura prominent en les files del medievalisme». Guha, *India after Gandhi*, 141.

85

ens trobarem amb una ferida supurant que acabarà enverinant tot el cos polític i que, probablement, el destruirà.[33]

Les promeses contingudes en aquests textos es projecten més enllà de la redacció de la Constitució i dels primers anys del nou estat i, com en altres moviments d'alliberament, encara estan pendents de realització. Els indis musulmans poden plantejar moltes queixes justificades, basades en greuges reals; la ferida encara supura. Però cal insistir de nou en un aspecte: per bé que l'alliberament nacional pot tenir les seues patologies, no són les mateixes que les patologies de la religió polititzada i del nacionalisme religiós dels nostres dies, ni en són l'origen.

La prova de toc de qualsevol moviment d'alliberament nacional es troba en la nació o el grup ètnic o religiós que té al costat: els jueus són posats a prova pels palestins, els àrabs algerians pels berbers i els indis pels musulmans que han restat al seu estat-nació bàsicament hindú. Fins ara, cap de les tres nacions ha aconseguit resultats satisfactoris. Els tres grups minoritaris, però, donen testimoni de la força del moviment alliberador perquè l'imiten. Com l'autodeterminació, l'alliberament és un procés reiteratiu: cada ens col·lectiu ha de determinar-se per si mateix; cada nació ha d'alliberar-se per si mateixa. La revolució proletària, segons la predicció marxista, havia d'alliberar la humanitat sencera; l'alliberament nacional, en canvi, és sempre parcial i particular. Uns pobles s'alliberen per si mateixos i altres pobles, que observen el procés, són invitats a fer el mateix. En aquest sentit, el sionisme laborista no va produir el fanatisme religiós; més aviat caldria dir que el seu producte més autèntic és el moviment d'alliberament nacional palestí. De manera semblant, la Primavera Berber és el producte més autèntic de la política de l'FLN. I també de manera semblant, els moviments alliberadors i feministes al si de la comunitat musulmana índia són producte de la democràcia composta de l'Índia. Qui estiga a favor d'aquest tipus d'alliberament –de pobles, nacions o grups religiosos haurà de ser favorable a la seua replicació. Seria moralment incoherent, a més de bastant demencial, imaginar que el procés s'atura amb mi, o amb tu i amb mi, o amb nosaltres.

Les patologies del fanatisme religiós, en canvi, no deriven d'una aplicació incoherent de la doctrina hinduista, jueva o musulmana, sinó més aviat d'una coherència apassionada. Si tot el que volien aquests tres moviments religiosos era tolerància per a ells mateixos, llavors s'assemblarien força a les nacions

33 Guha, *India after Gandhi*, 371.

en cerca del seu alliberament i estarien obligats, si no per la regla de la replicació sí per la de la reciprocitat: jo et tolere a tu i tu em toleres a mi. Però la tolerància no és el que volen els fanàtics. En els tres casos que hem examinat, aspiren a crear un estat totalment seu i exclusiu. La passió que posen en aquesta comesa és òbviament una resposta a l'alliberament nacional. Però també és radicalment diferent d'aquest.

4. El futur de l'alliberament nacional

I

Si insistesc en la forta oposició de l'alliberament nacional al reviscolament religiós, si negue que tinguen un parentiu secret i em negue a veure en els fanàtics religiosos els hereus lògics i necessaris dels alliberadors, caldrà escometre de nou la qüestió de fons de la paradoxa de l'alliberament i abordar l'interrogant que planteja: ¿per què els líders i militants de l'alliberament secular no han estat capaços de consolidar el seu assoliment i reproduir-se a si mateixos en generacions successives? Al llarg de les darreres dècades els intel·lectuals i acadèmics indis han debatut aquesta qüestió en la seua versió local. Com es pregunta un d'ells: «Per què no es va consolidar el projecte de Nehru d'una Índia secular?»[1] Una figura destacada en els debats recents és Ashis Nandy, l'obra del qual ja he citat, un crític d'ençà de molt de temps tant del nacionalisme secular com de l'Hindutva, que considera una mena de «germans enfrontats». Al seu article «The Politics of Secularism and the Recovery of Religious Toleration», Nandy evoca un hinduisme premodern, pluralista i tolerant («borrós» i sincrètic), el qual, segons diu, fou ignorat i desfet pels militants de l'alliberament nacional. El seu radicalisme secular i modern generà una re-acció patològica, que és reviscolant però també moderna; el modernisme és un tret compartit, així doncs. Havent assimilat les lliçons de les teories occidentals de l'Estat, els partidaris de l'alliberament i els promotors del reviscolament religiós estan igualment predisposats a usar el poder de l'Estat modern contra els seus oponents.[2]

Així, «la crítica del nacionalisme hinduista» que fa Nandy —escriu el filòsof Akeel Bilgrami— «és l'altra cara o forma

1 Akeel Bilgrami, «Secularism, Nationalism, and Modernity», en *Secularism and its Critics*, ed. Rajeev Bhargava (Nova Delhi: Oxford University Press, 1999), 381.

2 Ashis Nandy, «The Politics of Secularism and the Recovery of Religious Toleration», en Bhargava, *Secularism and its Critics*, 321-44.

una unitat amb la crítica del secularisme a l'estil de Nehru». L'Hindutva, «un producte de la modernitat, deu la seua existència a la relació dialèctica d'oposició però alhora interna que serva amb el... secularisme».[3] Aquesta no és una crítica marxista, internacionalista, sinó més aviat una crítica anti-modernista (o antioccidental) i ha atret un ampli suport, a l'Índia, en molts autors, alguns dels quals podrien ser definits bàsicament com a neogandhians; altres són postmoderns o post-colonialistes. Nandy afirma que l'ús polític que feia Gandhi de motius hindús estava justificat perquè el seu hinduisme era autèntic, és a dir, «arrelat... en tradicions situades fora de la graella ideològica de la modernitat», inservible per a mobilitzacions polítiques de tipus particularista. En canvi, l'Hindutva és radicalment inautèntic. Nandy diu el següent, fent burla de l'RSS, un grup paramilitar nacionalista hinduista:

> Siga el que siga el que miren de reviscolar els hinduistes reviscoladors, no és l'hinduisme. L'uniforme tan marcial com patèticament còmic amb pantalons fins al genoll de color caqui que han de vestir els seus quadres ho diu tot. Aquests pantalons de color caqui, que prenen com a model els de la policia colonial... defineixen l'RSS com el fill il·legítim del colonialisme occidental.

Nandy té coses similars a dir a propòsit de l'Estat inspirat per Nehru, que es va fer càrrec, escriu, de «la mateixa missió civilitzadora que havien assumit, temps era temps, els vells estats colonials en relació amb les antigues creences del subcontinent».[4]

El darrer punt és sens dubte cert, i és un altre exemple de la paradoxa de l'alliberament nacional, però cal dir, en tot cas, que no comporta necessàriament la condemna que Nandy dona per feta. En 1829, per exemple, els britànics prohibiren el *sati* –la immolació ritual d'una vídua hindú en la pira funerària del seu marit i després de la independència el nou govern indi en reiterà la prohibició, inspirat –supose jo per «la mateixa missió civilitzadora». En contrast amb això, els reviscoladors i fonamentalistes hinduistes s'han manifestat en favor del sati,

---

3 Bilgrami, «Secularism, Nationalism, and Modernity», 383-84.

4 Nandy, «Politics of Secularism», 335-36, 324. RSS són les sigles de Rashtriya Swayamsevak Sang (Associació de Voluntaris Nacionals). Martha Nussbaum diu de l'RSS que és «probablement el moviment feixista més reeixit de totes les democràcies contemporànies». Vegeu Martha C. Nussbaum, *The Clash Within: Democracy, Religious Violence, and India's Future* (Cambridge, Mass.: Belknap/Harvard University Press, 2007), 155.

i en aquest cas no sembla que siguen inautèntics.[5] De fet, el problema de la posició de Nandy, com han destacat els seus crítics, és que per molt pluralista, tolerant i «borrós» que fos l'hinduisme, era també jeràrquic i opressiu, i especialment opressiu per a les dones. L'ascens de l'Hindutva és d'aquesta manera tant una resposta a l'igualitarisme dels alliberadors com al seu secularisme. L'hegemonia dels bramans, les seguretats i comoditats de la casta i les limitacions tradicionals de la vida de les dones, tot plegat es troba més en l'arrel reviscolament religiós, i probablement més en l'arrel de la religió premoderna, que no pas el pluralisme religiós. Per als demòcrates i liberals, doncs, les creences antigues no formen part, i no haurien de formar-ne part, de l'agenda política.

Però tampoc no hem d'anar massa de pressa a l'hora de condemnar l'impacte de la modernitat occidental i del liberalisme occidental en la societat índia. La «missió civilitzadora» era certament hipòcrita, una ideologia de l'imperialisme, però també era de vegades un instrument ben útil per als activistes locals. Com va escriure R. C. Dutt, un dels primers presidents del Congrés Nacional Indi, en la fase primerenca de l'agitació nacionalista: «El dret dels *ryots* [pagesos] a l'educació, a alliberar-se del flagell de la ignorància, a deslliurar-se de l'opressió dels *zamindars* [aristòcrates terratinents], són idees que han emanat sempre dels nostres governants, no de nosaltres».[6] Més recentment, Sumit Sarkar, en una crítica marxista dels estudis postcolonials, ha afirmat que les protestes de les castes inferiors i els moviments a favor de les dones de finals del segle XIX i començaments del segle XX, «tot sovint... tractaren d'utilitzar les ideologies occidentals i la llei, la justícia i l'administració colonial com a instruments fonamentals».[7] Aquests «instruments» no els podia fornir, ni poc ni molt, la cultura autòctona (hindú i musulmana).

Com he argüit en els capítols anteriors, l'alliberament nacional és l'obra de homes i dones que aprengueren moltes

5 Uma Narayan, *Dislocating Cultures: Identities, Traditions, and Third World Feminism* (Nova York: Routledge,1997), 72-73; però tinguem present també el seu ferm advertiment davant la idea que «només els occidentalistes són capaços d'identificar i denunciar les atrocitats patriarcals comeses contra les dones del Tercer Món» (57). Tornaré a l'argument de Narayan més endavant. Per a una crítica del punt de vista sobre el *sati* de Nandy, vegeu Radhika Desai, *Slouching towards Ayodhya* (Nova Delhi: Three Essays Press, 2002), 85-89.

6 G. Alovsius, *Nationalism without a Nation in India* (Nova Delhi: Oxford University Press, 1998), 113.

7 Sumit Sarkar, «Orientalism Revisited: Saidian Frameworks in the Writing of Modern Indian History», *Oxford Literary Review* 16:1-2 (1994), 2 14.

coses dels seus governants imperials i que feren servir allò que n'havien après en interès de l'alliberament. Homes i dones que lluitaven simultàniament contra la dominació imperial i contra bona part dels costums i de les pràctiques més preades del seu propi poble. Els alliberadors «mantingueren les estructures de l'estat imperial» perquè s'identificaven, en paraules de Dipesh Chakrabarty, un dels autors postcolonialistes més importants, amb un «racionalisme il·lustrat» que «necessita com a vehicle indefugible l'estat modern i les seues institucions, que són –en termes de Foucault– els instruments de la governabilitat».[8] Però si Chakrabarty s'ho mira això amb ulls crítics, però és difícil estar-hi d'acord. ¿Quin altre instrument de governabilitat (o de no governabilitat) podria haver alliberat els intocables, acabat amb la prohibició de matrimonis entre membres de castes diferents, quina altra cosa podria haver posat punt final a les restriccions antiquíssimes que pesaven sobre la vida de les dones, què podria haver protegit les minories religioses? El nou estat nacional va fer tot això de manera altament incompleta, és cert. Però aquest reconeixement és el començament d'una crítica molt diferent de la que fan els postcolonialistes.

El compromís estatista implícit en l'alliberament nacional i l'oposició dels alliberadors als costums del seu poble eren massa abstractes, escriu Aditya Nigram, col·lega de Nandy al Centre per a l'Estudi de les Societats en Desenvolupament, de Nova Delhi. És com si l'objectiu dels valedors de l'alliberament nacional no hagués estat un «home nou indi», com ells proclamaven, sinó un ciutadà universal d'un estat universal. El projecte alliberador no tenia un contingut cultural concret –afirma Nigram i per això acabà esdevenint un front favorable a la continuïtat de la dominació de les elits bramans, i els seus defensors foren incapaços d'oferir una resistència eficaç als ideòlegs de l'Hindutva.[9] Aquest argument és una versió índia de l'explicació que donava Aharon Megged dels fracasos del secularisme sionista i de l'ascens del fanatisme religiós: «Els buits... acaben omplint-se sempre». No és un argument just pel que fa al cas indi (o israelià): al llarg dels primers anys de la independència, el govern del Partit del Congrés emprengué una campanya educativa massiva en suport de la nova Constitució.

8 Dipesh Chakrabarty, «Radical Histories and the Question of Enlightenment Rationalism: Some Recent Critiques *of Subaltern Studies*», *Economic and Political Weekly* 30:14 (8 d'abril 1995), 756.

9 Aditya Nigam, *The Insurrection of Little Selves: The Crisis of Secular Nationalism in India* (Nova Delhi: Oxford University Press, 2006), 60, 73, 310-12.

Nehru i els seus amics explicaren i defensaren enèrgicament els valors liberals que tractaven d'implantar.

En aquest sentit Nandy podria tenir raó quan apunta que el problema del secularisme de Nehru no és que fos massa abstracte sinó, més aviat, que era massa rígidament ideològic, massa absolut en el seu desafiament al tradicionalisme hinduista (i musulmà). L'absolutisme de la negació secular explicaria més bé la força i el caire militant del reviscolament religiós. Un seguit de crítics de Nandy han formulat aquest mateix argument. Analitzarem amb un cert deteniment les seues idees a propòsit del tractament donat a l'Hindutva i els seus defensors. Després considerarem la qüestió de si es pot abordar d'una manera semblant el reviscolament religiós que es va produir a Israel.

L'error clau de Nehru –segons Bilgrami– fou que el seu secularisme era «arquimèdic» en comptes de «negociat». Amb això Bilgrami vol dir que «el secularisme se situava fora del camp substantiu dels principis polítics».[10] Recordeu l'afirmació d'Arquímedes segons la qual podria moure l'univers només que aconseguís, d'alguna manera, situar-se'n a fora. Per als promotors de l'alliberament nacional el secularisme era una posició externa a partir de la qual es podria transformar la societat índia. El projecte secularista no sorgia de la societat mateixa, no era producte de debats i negociacions internes. Com escriu Nigam, l'ortodòxia hinduista (i musulmana) no fou mai «derrotada en una batalla oberta al si de la societat en el seu conjunt». I una raó per la qual el secularisme no era negociat ni es va defensar en una batalla en camp obert era, segons Bilgrami, que Nehru i els seus companys es resistien a «acceptar l'existència de comunitats [religioses] i de principis comunitaris».[11]

Per què aquesta reluctància? Per a respondre-hi hem de reconèixer l'existència d'una tensió més profunda al si de la posició de l'alliberament, una tensió que és –em sembla– comuna als dos altres moviments alliberadors. Nehru pensava que les comunitats religioses no tenien futur. Les creences religioses o almenys les seues versions més fervoroses i «supersticioses» es «farien fonedisses en contacte amb la realitat». En la previsió de Nehru després de la independència hi hauria conflictes de

---

10 Bilgrami, «Secularism, Nationalism, and Modernity», 394-95.

11 Nigam, *Insurrection of Little Selves*, 320; Bilgami, «Secularism, Nationalism, and Modernity», 400.

classe però no de religió «excepte en la mesura que la religió mateixa fos expressió de determinats interessos» –es referia a certs interessos econòmics. Ens hem de preguntar, sorpresos, quina Índia havia «descobert». Martha Nussbaum té sens dubte raó quan afirma que Nehru «es va prendre la religió massa a la lleugera».[12] Però en realitat, com ja he apuntat abans, aquesta fe en el decandiment de la fe estava molt estesa. Al mateix temps, Nehru coneixia molt bé la força de l'hinduisme i de l'islam i entenia, per descomptat, l'estret parentiu entre casta i jerarquies econòmiques. Per conseqüent, la seua negativa a reconèixer les comunitats religioses no estava determinada només per la ceguesa secular sinó també per la por secular: temia que aquest reconeixement podria enfortir-les... Entenc que aquestes dues visions poden mantenir-se simultàniament: la identitat religiosa és un perill clar i present mentre que la secularització, tot i que inevitable, se situa en algun moment del futur. Però són punts de vista diferents i en el cas indi la diferència es va palesar d'una manera peculiar.

Des del supòsit que l'erosió de les creences religioses ja havia començat, que hom podia accelerar-ne el declivi, i que calia enfrontar-se als interessos creats, el nou estat indi es disposà a reformar les lleis i pràctiques hinduistes. La Constitució, redactada immediatament després de la independència, abolia la condició dels intocables (article 17) i prohibia la discriminació per raons de religió o casta (article 15). Uns deu anys després el Parlament aprovà un únic codi civil per a tots els ciutadans hindús. Els líders parlamentaris del partit dominant, el Congrés Nacional Indi, actuaven amb una lentitud i una desgana que enfurismà Ambedkar, el ministre de Justícia, però actuaren. El nou codi permetia el matrimoni entre membres de castes diferents, legalitzà el divorci, prohibí la poligàmia, garantia a les filles els mateixos drets d'herència que als fills, i moltes altres coses.[13] La intenció dels alliberadors, escriu Partha Chatterjee, era «encetar un procés d'interpretació racional de la doctrina religiosa».[14] En realitat, el que estaven fent era deixar clar que

12 T. N. Madan, «Secularism in Its Place», a Bhargava, *Secularism and its Critics*, 311; Nussbaum, *The Clash Within*, 118.

13 Ací i en els paràgrafs següents em recolze en Gary Joseph Jacobsohn, *The Wheel of Law. India's Secularism in Comparative Constitutional Context* (Princeton, N.J.: Princeton University Press, 2003), 95-112, i en Ramachandra Guha, *India after Gandhi: The History of the World's Largest Democracy* (Nova York: Harper Collins, 2008), 224-48.

14 Partha Chatterjee, «Secularism and Tolerance», a Bhargava, *Secularism and its Critics*, 360.

una bona part del que tradicionalment s'havia considerat com a doctrina religiosa, no era de caràcter «religiós». D'acord amb la Constitució, totes les comunitats tenien dret «a regular els seus propis assumptes en matèria de religió». Però les autoritats estatals insistien en una definició limitada de la religió, o més aviat en una definició limitada de l'hinduisme. «No entenc –va escriure Ambedkar– per què cal atorgar-li a la religió una jurisdicció tan àmplia i expansiva, fins al punt de cobrir el conjunt de la vida de la gent». La religió ben entesa tenia a veure amb la fe i el culte; tota la resta pertanyia a la jurisdicció de l'estat. «Després de tot –continuava Ambedkar– per a què volem aquesta llibertat?» El moll de l'os de la independència era «la reforma del nostre sistema social, que està ple de desigualtats, de discriminacions i altres coses que entren en contradicció amb els nostres drets fonamentals».[15]

Tot això es referia a l'hinduisme. En base al que eren probablement bones raons, no hi hagué un esforç similar per a reduir l'abast de l'islam i establir un sistema racionalitzat de llei civil per a la minoria musulmana. Nehru i els seus companys no estaven en disposició de desafiar la força de la fe islàmica i l'autoritat de la xaria. És molt probable que els assaltés la temença que qualsevol desafiament en aquest sentit fos considerat una persecució religiosa. Per a la majoria, doncs, hi hauria alliberament, per a la minoria hi hauria llibertat religiosa, i a l'islam se'l permetria precisament aquella «jurisdicció tan àmplia i expansiva» que Ambedkar, rigorós, insistia a negar-li a l'hinduisme. I en efecte, no hi hagué negociacions amb cap comunitat religiosa; les autoritats estatals decidiren reformar la llei hindú pel seu compte, des de dalt, i tolerar la llei musulmana.[16] Des de la perspectiva de l'alliberament, aquest enfocament era molt favorable per als hindús. El líder socialista J. B. Kripalani afirmà que si els membres del Parlament «singularitzen la comunitat hindú com a destinatària del seu zel reformador, no podran estalviar-se l'acusació de ser comunalistes en el sentit d'afavorir [els hindús] i desentendre's de la sort dels musulmans».[17] Els tradicionalistes hindús feren exactament l'acusació contrària, denunciant que els afavorits eren els musulmans. Tot comptat i debatut, però, la reforma

15 Jacobsohn, *Wheel of Law*, 98-99.

16 Però vegeu el reconeixement per part de Stanley J. Tambiah segons el qual: «Hi havia un tret de gran generositat i voluntat inclusiva en l'actitud de Nehru envers els musulmans de l'Índia». Tambiah, «The Crisis of Secularism in India», a Bhargava, *Secularism and its Critics*, 424.

17 Chatterjee, «Secularism and Tolerance», 361.

des de dalt fou només un èxit parcial, de manera que el favoritisme fou limitat.

Quan l'Índia aprovà la seua Constitució, apunta Harold Isaacs, els intocables esdevingueren ex-intocables de dret, però continuaren sent intocables de fet. Isaacs va fer un relat terrible de la vida dels pàries o intocables a principis de la dècada de 1960 i el 1973 hi va afegir un post scriptum on afirmava que les coses no havien canviat gaire. Des de llavors un ampli programa compensatori ha obert noves oportunitats als membres més joves de la que ha arribat a ser coneguda, per insistència dels militants ex intocables, com la comunitat *dalit* («oprimida»). L'Hindutva és en part una reacció al tractament especial (reserva de places i prestacions de benestar social) acordat als ex intocables i a les castes més baixes, una pràctica que té com a conseqüència mantenir l'esquema de castes, perquè evidentment la gent que sol·licita un tractament especial «ha de ser degudament definida i identificada». Al mateix temps, però, els programes compensatoris esberlen la jerarquia tradicional de castes.[18]

Vet ací les ambigüitats de l'alliberament. Unes ambigüitats que tal vegada són especialment paleses en el cas de les dones hindús i musulmanes: les primeres són beneficiàries del nou codi civil, les segones encara es troben subjectes a la llei islàmica en matèria de drets personals. En un cas judicial famós (Shah Bano) de 1985 els jutges, actuant en base a bons principis alliberadors, tractaren d'estendre la protecció del codi civil a una vídua musulmana divorciada, però el Parlament invalidà la decisió amb l'aprovació d'una nova Llei de la Dona Musulmana (1986). A qui afavoria aquesta legislació? Des del punt de vista dels nacionalistes hinduistes era un altre exemple del tracte de favor i la deferència de l'estat indi i del Partit del Congrés envers la minoria musulmana, a la qual (de nou) se li permetia mantenir les seues pràctiques tradicionals. En canvi, la Unió Democràtica Pan-Índia de Dones i altres grups feministes, els autèntics hereus de l'alliberament nacional, denunciava amb raó que la nova llei no feia cap favor a les dones musulmanes. En març de 1986 trenta-cinc organitzacions de dones, incloent-hi grups musulmans, s'ajuntaren per a manifestar-se en

18 Harold R. Isaacs, *India's Ex-Untouchables* (Nova York: Harper and Row, 1974), esp. caps. 3 i 8. L'anàlisi més complet de la «discriminació compensatòria» a l'Índia, a Marc Galanter, *Competing Equalities: Law and the Backward Classes in India* (Berkeley: University of California Press, 1984).

favor d'un codi secular uniforme, que era la promesa original de Nehru i els seus companys.[19]

No puc dur més lluny l'anàlisi d'aquestes qüestions; el meu coneixement de la història i la política índies no arriba per a filar massa prim en les seues complexitats. Vull insistir, això no obstant, en el fet que malgrat tots els compromisos i confusions de la pràctica política d'ençà de 1947, encara és possible assenyalar clarament les diferències entre l'alliberament secular i la religió, tant la tradicional com la de caire reviscolant. Sospite que on més clarament apareixen les diferències és en relació a la subordinació de les dones. La reivindicació de la igualtat de gènere planteja el desafiament més gran a la religió tradicional i és probablement la causa més important del fanatisme reviscolant en els tres casos analitzats ací. Sense cap mena de dubte les integrants de la Unió Democràtica Pan-Índia de Dones, el nom de la qual suggereix un projecte nacional, no són en cap sentit les bessones o els dobles secrets dels militants de l'Hindutva. Tampoc la decisió de Nehru als anys 1940 d'acordar la llibertat religiosa a la minoria musulmana en l'àmbit de la família el converteix en un germà bessó dels tradicionalistes musulmans, tot i la gran alegria dels mul·làs davant el reconeixement legal de la xaria. Aquestes parelles –dones democràtiques i militants de l'Hindutva, liberals de Nehru i tradicionalistes musulmans– són oponents polítics de llarga data. Com hauria d'evolucionar en el futur aquesta oposició? Què volen dir els crítics de la política «arquimèdica» de Nehru quan demanen un secularisme «negociat»?

En octubre de 2004 la revista socialista *Janata* informava sobre una trobada que havia tingut lloc a Nova Delhi sobre la situació de les dones musulmanes. Hi havien participat activistes feministes i membres (masculins) del Muslim Personal Law Board. Naturalment, els dos grups dissentiren però el que era més interessant és que «nombroses dones participants argumentaven... des de dins del paradigma islàmic, citant un versicle rere l'altre de l'Alcorà així com tradicions atribuïdes al Profeta en la seua defensa de la igualtat de gènere». Aquestes dones eren un nou corrent impetuós, deia el periodista de *Janata*, tenien «l'autoritat moral que es troba a faltar en les

19 Vegeu la web de l'All India Democratic Women's Association. Fundada com a organització de masses del Partit Comunista, l'AIDWA es defineix avui com a part de l'esquerra independent.

feministes que son vistes com alienades de les seues societats i tradicions».[20]

El mateix es pot dir de les integrants de Women Living Under Muslim Laws (WLUML), una organització feminista fundada en la dècada de 1980 per dones de diversos països de majoria musulmana, incloent-hi Algèria, la tasca de la qual també ha arribat a arribat a l'Índia, on els musulmans són una minoria (però molt gran).[21] Les integrants de WLUML són religioses i seculars i un dels seus objectius centrals és avançar en la reinterpretació les lleis musulmanes relacionades amb la situació de la dona. El plural («lleis») és rellevant en el seu projecte. Perquè consideren que hi ha interpretacions i aplicacions força diferents del que sempre se'n diu la llei alcorànica, i no una versió particular i dotada d'autoritat que en fa un home entès en aquestes matèries, com insisteixen els fanàtics. El plural significa que les dones també hi poden dir la seua, i si podien dir-hi la seua, en comptes de restar al marge de la discussió, podien esperar almenys ser escoltades pels musulmans religiosos, tant homes com dones. Si tenien coneixements i educació, com era el cas majoritàriament, també podien tenir autoritat.

Amartya Sen reclama el mateix tipus d'autoritat moral per als demòcrates i pluralistes quan argüeix que les idees de debat públic i respecte per les diferències religioses tenen arrels en el pensament indi antic. En dona molts exemples.[22] El seu argument és diferent del de Nandy, tot i que alguns dels seus exemples podrien servir per a tots dos. Sen afirma que algunes idees modernes importants no són invencions modernes; foren enunciades molt de temps enrere, per bé que en idiomes diferents. Formen part d'un llegat comú que pot ser selectivament rebutjat però que també pot ser selectivament reivindicat; i puix que la selectivitat és possible, les idees occidentals sobre la llibertat i la igualtat poden ser naturalitzades a l'Índia. Bé pot ser cert que els millors arguments en favor de la justícia de gènere i el pluralisme democràtic siguen de caire secular

20 Yoginder Sikand, «Debating Muslim Women and Gender Justice», *Janata* 59:37 (24 d'octubre 2004), 9-11.

21 Per a una descripció de la tasca de la WLUML, vegeu Madhavi Sunder, «Piercing the Veil», *Yale Law Journal* 112:6 (abril 2003), 1433-43. Per a una anàlisi de la feina d'aquesta organització a l'Índia, vegeu Asghar Ali Engineer, «Muslim Women and Modern Society», *Janata* 58:47 (14 de desembre 2003), 7-8.

22 Amartya Sen, «Democracy and Its Global Roots: Why Democratization Is Not the Same as Westernization», *New Republic* 229 (6 d'octubre 2003), 28-35.

i filosòfic. Però la filosofia no preval en aquestes qüestions. Els millors arguments morals i polítics són els que deriven o connecten amb la cultura heretada del poble que ha de ser convençut. El compromís amb aquesta cultura és al que els crítics de Nehru al·ludeixen quan parlen de «negociació». Venen a dir que el secularisme a Occident deriva d'una negociació política amb el cristianisme protestant; de la mateixa manera imaginen controvèrsies internes que podrien produir versions hinduistes i musulmanes de la doctrina secular i, també, de les doctrines democràtiques, igualitàries i feministes.

L'acadèmica laica Uma Narayan ha elaborat una versió teòrica d'aquests arguments al seu llibre *Dislocating Cultures*. Narayan assumeix l'acusació segons la qual, l'exigència d'igualtat de gènere equival a «una capitulació davant la dominació cultural de la cultura occidental colonitzadora». Com mostren els articles de Marx sobre l'Índia, aquesta acusació pot ser també una jactància: totes les bones idees modernes provenen dels països històricament més avançats d'Occident. Molts dirigents dels moviments d'alliberament nacional, certament, eren occidentalitzadors, i ja he donat molts exemples en aquest sentit. Però Narayan planteja dues reserves importants, amb especial referència al que s'anomenava, temps era temps, «la qüestió de la dona». En primer lloc, quan començà el moviment d'alliberament (a l'Índia a finals del segle XIX), la igualtat de gènere no era de cap manera una ideologia dominant a Occident i, en segon, que les feministes índies poden argumentar de manera plausible que la seua lluita per la igualtat «no està menys arrelada en les nostres experiència dins de 'les nostre cultures', no és menys 'representativa' de la nostra complexa i canviant realitat» que les opinions dels indis hostils al feminisme.[23] L'alliberament és un procés reiteratiu: no es produeix d'una vegada i per a sempre per a tothom al món; s'esdevé una i altra vegada. Però això no vol dir que cada lluita posterior ha de ser una imitació de la lluita que s'esdevingué abans. Sí, moltes feministes índies aprengueren el seu feminisme a Occident –recordem els estudis de Rajkumari Amrit Kaur a Oxford– però també produïren el seu propi feminisme arran del seu compromís amb les seues germanes índies.

El llibre de Narayan va molt més enllà, per descomptat, i no es limita a reclamar que el feminisme té arrels índies. Argumenta en favor del conreu d'aquestes arrels i defensa

23 Narayan, *Dislocating Cultures*,
17, 30-31.

amb gran energia un feminisme connectat i naturalitzat, és a dir, un feminisme encastat en narratives nacionals i tradicions religioses. Ajuda a entendre que l'alliberament és sempre l'alliberament d'un grup particular de gent que comparteix una història comuna. La següent citació sintetitza molt bé la seua posició, que és molt propera a la posició que jo mateix defense en aquest llibre.

> Seria perillós per a les feministes... tractar de desafiar les opinions predominants de la «religió» i la «tradició religiosa» merament en nom del «secularisme». Moltes tradicions religioses són, en realitat, més folgades del que els adeptes fonamentalistes admetrien. La defensa de les interpretacions humanes i inclusives de les tradicions religioses pot ser en determinats contextos crucial... per a contrarestar la difusió de discursos religiosos [afavoridors] d'objectius nacionalistes problemàtics.[24]

Aquesta manera de veure les coses no constitueix, ni de bon tros, un argument favorable a no anar més enllà. Narayan escriu de manera molt convincent sobre la importància de les idees o els principis de caire nacional i religiós en la vida quotidiana dels homes i dones normals i corrents. Aquests principis configuren el sentit del que són i la seua comprensió del món social. Narayan proposa un compromís honest i compassiu amb aquests homes i dones. Hi ha raons pragmàtiques en favor d'aquesta mena de compromís: si es rebutja, això contribuiria a «arraconar les veus progressistes i feministes... la intervenció política de les quals en el discurs del nacionalisme és cada vegada més determinant». Però també hi ha raons democràtiques. Narayan cita l'opinió antinacionalista de Virginia Woolf, expressada en 1938: «Com a dona, no tinc país. Com a dona, no vull cap país. Com a dona, el meu país és el món sencer». (Woolf devia estar llegint llavors escrits de Marx sobre el proletariat.) Narayan argüeix, al contrari, que les dones tenen país; que comparteixen una mateixa sort amb els seus conciutadans, els quals tenen necessitat d'escoltar les seues veus.[25]

El compromís concret amb cultures i històries particulars, el compromís del tipus que defensa Narayan, dona com a resultat versions particulars del secularisme i la modernitat.

24 Narayan, *Dislocating Cultures,* 35.

25 Narayan, *Dislocating Cultures,* 37. La citació de Woolf és de *Three Guineas* (1938).

La majoria del militants de l'alliberament nacional imaginaven que lluitaven per una versió universal única, amb variants menors que reflectirien la diferència nacional/cultural. El seu ideal visionari no era gaire diferent del de nacionalistes liberals del segle XIX com Giuseppe Mazzini, que considerava que a cada nació li corresponia un paper específic en una orquestra universal, la qual interpretava una única simfonia. Els marxistes contemplaven una singularitat encara més radical: l'orquestra estaria formada per homes i dones individuals alliberats tant de la nacionalitat com de la religió que interpretarien la música amb una harmonia espontània i bella. A *El Capital* Marx descrivia una fàbrica que funcionava d'acord amb mateix principi inserida, per descomptat, en la producció universal.[26] Però si l'alliberament modern, secular, és «negociat» en cada nació, en cada comunitat religiosa, el resultat necessari en serà un univers altament diferenciat. L'orquestra bé pot ser un guirigall i exigir a més a més negociacions no tan sols al si de cada nació sinó també amb elles i entre elles. Però aquest serà del tema d'un altre moment.

II

La visió tradicionalista del món no pot ser negada, abolida o prohibida. Cal comptar-hi, entomar-la. He argumentat més d'una vegada en aquest mateix sentit. Tal vegada que l'argument no serà útil o fins i tot accessible per als militants de l'alliberament en el punt culminant de la lluita contra la vella religió i la cultura de la subordinació. Només uns pocs intellectuals es plantejaven aquest compromís en aquells temps, i no tenien gaire suport. Nehru podria haver considerat el seu *Descobriment de l'Índia* com un exemple de compromís. El que va descobrir en la història índia, i de manera impressionant, era una civilització antiga, complexa i multicultural («composta»). Fins i tot assenyalava que les dones havien tingut una situació millor en la història índia que en molts períodes de la història europea: «La posició legal de les dones a l'Índia antiga era dolenta, però jutjada segons criteris moderns, era molt millor que a la Grècia i la Roma antigues, que als primers temps del cristianisme, en la llei canònica de l'Europa medieval i, de fet, fins a temps comparativament moderns».[27] Ara bé, pel que fa a

26 *The Living Thoughts of Mazzini*, ed. Ignazio Silone (Westport, Conn.: Greenwood Press, 1972), 55; Karl Marx, *Capital: A Critique of Political Economy*, ed. Frederick Engels (Nova York: International Publishers, 1967), vol. 3, p. 383.

27 Jawaharlal Nehru, *The Discovery of India* (Nova Delhi: Penguin Books, 2004), n8.

les tradicions religioses que tingueren una influència tan gran en la conformació de la civilització índia –i en la determinació dels rols consuetudinaris de les dones– a Nehru li mancava empatia. No tenia una gran receptivitat cap a la vida emocional del seu propi poble, en la qual la religió té un paper tan significatiu, ni cap al ric llegat artístic i literari de l'Índia. Per bé que admirava el poeta indi Rabindranath Tagore, segons Martha Nussbaum «mai va entendre que l'estat liberal necessita una poesia pública, no tan sols la racionalitat científica, per a maternir-se».[28]

El descobriment (o la invenció) per Nehru d'una civilització enormement atractiva per als intel·lectuals seculars serva un cert paregut amb el descobriment (o la invenció) pels sionistes de l'Israel bíblic: ni l'un ni els altres tenien res a veure amb les creences i les pràctiques reals del poble que calia alliberar. Potser la identificació plena no era possible en cap dels meus tres casos; potser la primera necessitat de l'alliberament era establir una llei inspirada en el secularisme, com Nehru i Ambedkar feren en la nova Constitució i el Codi Civil indi. Tan sols quan les noves lleis es demostrà que no eren prou efectives i provocaren una reacció religiosa hagueren de començar les negociacions.

El cas d'Algèria ens diu que el calendari pot ser important en aquesta qüestió. Els esforços del president Chadli Benjedid per negociar amb els líders del Front Islàmic de Salvació a finals de la dècada de 1980 fracassaren probablement no només per la rigidesa autoritària del règim sinó també pel fervor flamíger del FIS. Els islamistes estaven convençuts que tenien a l'abast de la mà la victòria definitiva per a l'única religió vertadera. Temps enrere, en la dècada de 1960, quan les negociacions i el compromís haurien estat possibles, els promotors de l'alliberament nacional no n'estaven interessats. Donaven escassa importància als seus partidaris musulmans i no pensaven gaire en els principis de l'islam. L'aprovació del Codi de Família en 1982 no fou tant una negociació com una rendició de l'FLN, o almenys del record de l'FLN, i no va fer sinó estimular encara més la fam dels seus oponents. «Això és un front perquè s'enfronta», va dir un líder del FIS, que prometé que si el seu partit guanyava les eleccions del 1991, ja no hi hauria més eleccions. En aquest punt del reviscolament religiós

28 Nussbaum, *The Clash Within,* 119.

les negociacions probablement ja eren inviables i inútils; més avial calia buscar de nou un «punt arquimèdic».[29]

Així doncs, les qüestions a les quals han de buscar resposta els liberals i demòcrates seculars són: ¿Com va poder esdevenir l'alliberament nacional la peça central en la vida de la nació? ¿Com podria haver mantingut, i com podria recuperar, l'hegemonia política? Aquests interrogants apunten a una qüestió més àmplia i més general: ¿Què hi va fallar, amb quins obstacles s'enfronta la reproducció cultural de l'esquerra democràtica secular?

L'alliberament no triomfa i l'hegemonia no es manté tan sols en base a la negació; la negació és només el començament d'una resposta a les tres qüestions. «El fet de l'hegemonia», escriu Antonio Gramsci, el seu teòric més destacat, «pressuposa que hom té en compte els interessos i les aspiracions dels grups sobre els quals s'ha d'exercir l'hegemonia, i això pressuposa també un cert equilibri, és a dir, que els grups hegemònics també faran alguns sacrificis».[30] Una hostilitat ferotge i implacable bé pot ser indefugible en la mobilització inicial del moviment d'alliberament i necessàriament ha de formar part de la resposta secular a la contrarevolució religiosa, com tot just he suggerit en el cas d'Algèria. Però no és una força creativa, no té en compte els interessos dels hinduistes, musulmans i jueus tradicionals; i no va en la direcció de l'equilibri convenient.

Òbviament, no existeix un únic equilibri de caràcter universal. «Tindre en compte» els diversos interessos i aspiracions és la versió gramsciana del que els autors indis considerats ací anomenen «negociació». Malgrat que pocs dels seguidors de Gramsci se n'han adonat, l'hegemonia tal com ell la descriu no és «hegemònica» en l'habitual sentit fort de la paraula. Suggereix domini, sí, però un domini que inclou compromisos, on el grup dominant sacrifica una certa porció del seu poder i fins i tot –cal suposar-ho– dels seus principis. Aquest procés produirà, exactament igual com la «negociació», diferents tipus d'alliberament, diferents modernitats, diferents configuracions seculars. De fet, puc imaginar diferents formes de separació entre la religió i l'estat. Simplement, no és cert –com alguns

29 Ricardo René Laremont, *Islam and the Politics of Resistance in Algeria, 1783-1992* (Trenton, N. J.: Africa World Press, 200), cap. 7; Martin Evans i John Phillips, *Algeria: Anger of the Dispossessed* (New Haven: Yale University Press, 2007), 146-53.

30 Chantal Mouffe, «Hegemony and Ideology in Gramsci», a *Gramsci and Marxist Theory*, ed. Mouffe (Londres: Routledge and Kegan Paul, 1979), 181.

103

militants de primera hora pensaven– que l'alliberament exigeix la substitució definitiva de la religió per la racionalitat científica moderna. Exigeix, sens dubte, alguna forma de reforma religiosa, però també exigeix el que podríem imaginar com una reforma de l'alliberament.

III

Considerem el cas sionista, que és en el què estic més versat. A Israel sembla clar que la negació del judaisme d'exili ha fracassat i que el salt cap al passat bíblic i altres temptatives de trobar peces i fragments útils en la tradició només serveixen per a produir un kitsch jueu, que no pot competir amb un judaisme reviscolat. L'afirmació d'una novetat radical dona peu, inexorablement, a l'exaltació d'una antigor radicalitzada. Bé podria ser que tant en el judaisme com en l'hinduisme i en l'islam, l'antigor antiga fos més pluralista, més tolerant amb la diferència (en la pràctica, si no en la doctrina) del que imaginen els alliberadors seculars o del que admeten els fanàtics religiosos. Podria ser. Però em sembla que la nostàlgia no és gens atractiva, ni a Israel ni a l'Índia.

Molt és el que calgué, i encara cal, negar: la condició poruga i la passivitat del judaisme tradicional, el paper del jueu de Cort, el domini dels rabins, la subordinació de les dones. Tanmateix, al costat de l'obra de negació que encara continua, la tradició ha de ser reconeguda i les seues diferents parts incorporades, com reclamava el poeta Bialik: recollida, traduïda, incorporada a la cultura del nou. Només llavors serà possible desmuntar el judaisme tradicional i avaluar críticament els seus trets més importants –lleis i màximes, cerimònies i pràctiques, narratives històriques i de ficció. I només llavors serà possible acceptar o rebutjar o revisar aquests trets; només llavors poden esdevenir els temes d'un debat i una negociació en marxa. El debat mateix, amb els seus variables resultats, és el nus de l'equilibri gramscià, no cap balanç únic o final d'acceptacions i rebuigs. Una persona pot ser un crític radical de la tradició religiosa, com ho seria jo, i alhora «tenir en compte» el seu valor per al poble jueu (o el poble indi o l'algerià). Però el compromís que representa «tenir en compte» és alhora el compromís d'aprendre alguna cosa a propòsit del món dels teus oponents. Deixar de banda la negació no vol dir acceptar i prou; vol dir, una vegada més, compromís intel·lectual i polític.

David Hartman ha formulat des d'una perspectiva religiosa el que es podria considerar un argument igual i oposat: que

l'ortodòxia jueva ha de «tenir en compte» l'obra de l'allibera-
ment I afegir-se a la «lluita universal en suport de la dignitat
humana». Això no passarà, escriu, fins que la gent que «veu la
tradició jueva com el context natural en el qual expressar els
seus neguits» es comprometen amb «l'igualitarisme, els drets
humans i la justícia social».[31] Un compromís d'aquest tipus seria
tan innovador i revolucionari com tots els que ha promogut el
sionisme secular; donaria lloc a una llei jueva revisada i a una
cúpula rabínica molt diferent. El projecte de Hartman ha rebut
un estímul substancial procedent de l'alliberament sionista.
Potser aquesta relació beneficiosa podria ser de doble direcció.
El reconeixement de la tradició com el «context natural» del
compromís polític estava absent en el sionisme primerenc (com
hem vist); avui, voldria insistir-hi, és temps de recuperar-lo.

Atès que el sionisme és un moviment polític, el terreny
més pertinent per al compromís és la política mateixa. Ara bé,
la negació sionista era, d'entrada i sobretot, la constatació que
no existia ni havia existit una política jueva a l'exili, ni tan sols
una història col·lectiva. «Després de la nostra darrera tragèdia
nacional» –l'aixafament de la rebel·lió de Bar Kochba a l'any
135 dC– «hem tingut 'històries' de persecucions, de discrimina-
cions legals, de la Inquisició i els pogroms, de ... martiri», però,
escrivia Ben Gurion, «ja no tinguérem mai més una història
jueva, perquè la història d'un poble és només allò que aquest
poble fa com un tot, en el seu conjunt» i –insistia– els jueus
no varen crear res al llarg dels segles d'exili.[32] En realitat, la
política interna de la Diàspora Jueva, a través de la qual el poble
en el seu conjunt es va preservar i mantenir per si mateix –en
comunitats disperses, sense poder coercitiu, al llarg de molts
segles–, és una de les històries més remarcables de la història
política de la humanitat. La política d'exili estava en decadència
quan els sionistes aparegueren en l'escena i mai no ha estat
valorada en el si de la tradició mateixa. Lliurats a la deferència i
a l'ajornament, somiant un vague triomf futur, els rabins tenien
poc a dir sobre l'èxit de les comunitats semiautònomes de la
Diàspora i no s'interessaven per les lliçons polítiques que se'n
podia extreure. Aquesta història podria haver estat una font
d'inspiració per als autors sionistes, però de fet consideraven
que la decadència de la vida comunal jueva era un tema més

31 David Hartman, *Israelis and the
Jewish Tradition: An Ancient People
Debating Its Future* (New Haven: Yale
University Press, 2000), 164-65.

32 Amnon Rubinstein, *The Zio-
nist Dream Revisited: From Herzl to
Gush Emunim and Back* (Nova York:
Schocken, 1984), 7.

útil i no s'esforçaren gens per superar la seua ignorància dels dies millors. Per alguns d'ells, la ignorància de la història de l'exili, puix que no era una història nacional «real», era una qüestió de principi.

Ahad Ha'am almenys reconeixia que hi havia hagut dies millors. Els erudits, va escriure, «reeixiren a crear un cos nacional que penjava en l'aire, sense cap fonament en un terreny sòlid, i en aquest cos l'esperit nacional hebreu hi va trobar el seu estatge i va viure la seua vida al llarg de dos mil anys». Però el veritable assoliment de la jueria exílica –«meravellós i únic», deia Ahad Ha'am– fou que fins i tot havent perdut la singularitat «d'aquest cos» va sobreviure en fragments dispersos, «tots els quals vivien la seua pròpia forma de vida, però tots estaven lligats malgrat el seu confinament local».[33] Aquestes belles paraules aparentment no foren inspiradores de res. No he trobat en la literatura del sionisme ni rastre d'admiració vers les velles comunitats jueves, cap esforç per entendre com funcionava la política d'exili, cap reconeixement vers la gent que la feia funcionar, ni un bri d'esma per valorar-ne els assoliments. Les lleis, els costums, les pràctiques i els supòsits implícits que feien possible la vida comunitària de l'exili, tot plegat seria sens dubte material que caldria «incorporar» i una vegada fet això sotmetre-ho a avaluació i crítica, de cara a un eventual renaixement de la vida comunitària. Realment, l'experiència de l'exili i posteriorment de l'emancipació-en-l'exili bé podria ensenyar als israelians contemporanis una cosa de gran importància: com diferents comunitats jueves poden coexistir en el marc d'un estat secular, al costat d'altres formes de diferència, i d'altres comunitats (no jueves). La nova majoria israeliana podria aprendre molt de l'experiència de les velles minories jueves.

Un altre terreny evident per al compromís, de la mateixa manera que a l'Índia i a Algèria, té a veure amb la tradicional subordinació de la dona. En el judaisme, certament, aquesta subordinació va prendre formes diferents de les pròpies de l'hinduisme i l'islam. Per exemple, mai va arribar a l'ocultació radical de la *purdah*, però així i tot encara exclou la participació de les dones en la vida religiosa pública i en la vida política. El compromís dels promotors de l'alliberament nacional de crear un «home nou» era també el compromís de crear una «nova

33 Ahad Ha'am, «Flesh and Spirit», dins *Nationalism and the Jewish Ethic: Basic Writings of Ahad Ha'am*, ed. Hans Kohn, trad. Leon Simon (Nova York: Schocken, 1962), 203-4.

dona», d'alliberar-la de la submissió imposada per la tradició a l'autoritat patriarcal. La situació real de la dona en el moviment dels kibbutz, en la Haganah, i posteriorment en l'Exèrcit d'Israel no sempre coincidia (o coincideix) amb les prescripcions de la ideologia alliberadora, però la posició ideològica de principi és clara: en el nou estat nació hi hauria igualtat de gènere, i fins i tot, com Herzl havia previst, igualtat en el servei nacional. Però el reviscolament religiós escomet directament la idea mateixa de la igualtat de gènere, com ja hem vist. Els alliberadors es varen trobar esbalaïts i desarmats davant una nova situació: la predisposició de moltes dones a retornar a l'ortodòxia i acceptar una reedició de la vella subordinació. Es varen mostrar també estupefactes davant la ferocitat de l'atac dels fanàtics religiosos a la igualtat de gènere allà on pogués existir, fins i tot en l'Exèrcit israelià, que havia estat un dels instruments primaris de la transformació lligada a l'alliberament i una cosa així com la vaca sagrada de la política israeliana.

Molts lectors o lectores trobaran obvi l'argument igualitari, però la reiteració fa curt a hores d'ara. Avui les dones religioses de totes les orientacions del judaisme argumenten en favor de la igualtat amb el llenguatge de la tradició i elaboren reinterpretacions meravellosament subtils i intel·lectualment estimulants de la Bíblia i del Talmud. Probablement és un signe de la polarització generada a Israel entre secularistes i religiosos el fet que una bona part del treball interpretatiu, en aquest sentit, no s'ha fet allà, a Israel, sinó en la Diàspora, i especialment als Estats Units. De fet, una proporció molt important de l'energia religiosa, en el si dels jueus nord-americans, prové avui de les dones, que són cada vegada més nombroses entre els qui es dediquen acadèmicament als Estudis Jueus i, cosa encara més important, entre els rabins ordenats.[34] Res de semblant s'esdevé a Israel, on les dones jueves seculars no tenen cap interès a esdevenir rabines i les dones religioses no poden ni somiar-ho (tot i que em sembla que algunes comencen a somiar-ho).

Potser hi ha una pauta definida, un model de funcionament, en tot això. La seu central de l'organització Women Living

34 Sobre la inserció de les dones jueves al món acadèmic, vegeu Lynn Davidman i Shelly Tenenbaum, eds., *Feminist Perspectives on Jewish Studies* (New Haven: Yale University Press, 1994). Per a tres exemples importants de compromís feminista al si de la tradició jueva, vegeu: Judith Plaskow, *Standing Again at Sinai: Judaism from a Feminist Perspective* (Nova York: Harper Collins, 1990); Rachel Adler, *Engendering Judaism: An Inclusive Theology and Ethics* (Filadelfia: Jewish Publication Society, 1998); i Judith Hauptman, *Rereading the Rabbis: A Woman'n Voice* (Boulder, Colo.: Westview Press, 1998).

Under Muslim Laws es troba a Londres, no a Algèria o a cap altre país de majoria musulmana. De manera semblant, molts defensors d'un alliberament nacional indi «negociat» viuen als Estats Units. I, tot i que les raons són diferents, molts dels militants algerians que es varen batre pels principis fundacionals de l'FLN foren, i alguns són encara, exiliats polítics. I quan l'alliberament és incomplet, els intel·lectuals i activistes que el defensen seran molt probablement els seus defensors originals, que també havien viscut llargs períodes fora dels països que es proposaven alliberar. Però els arguments favorables a un compromís crític amb la tradició trobaran el camí de tornada cap «a casa». És més que probable que puguen resultar atractius per a homes i dones cansats de viure amb la polarització radical de la negació i el reviscolament. En els tres casos tractats ací, hi ha autors i activistes que malden per ocupar l'espai que resta entre els dos pols. A Israel, i sospite que també a l'Índia i a Algèria, els exemples més clars en aquest sentit provenen del món acadèmic. Però el projecte d'un compromís crític no ha trobat encara el que és més necessari per al seu èxit: una forta expressió política.

Ha de quedar clar que no vull dir, ni de bon tros, que la contrarevolució tradicionalista s'hauria pogut evitar, o que s'hauria pogut defugir la paradoxa de l'alliberament nacional, si els sionistes –diguem-ne– s'hagueren identificat plenament amb la tradició des del primer moment. Tanmateix un compromís ple, assumit d'hora, bé podria haver afavorit una resposta més potent a la contrarevolució. Una resposta millor que res del que es podria fer a hores d'ara. Hauria pogut aportar al sionisme una cultura més rica, més interessant i més democràtica. I hauria pogut augmentar les probabilitats –encara podria fer-ho– de l'èxit definitiu de l'alliberament nacional jueu.

Aquesta esperança que es projecta cap endavant és part d'una manera de veure les coses que ha esdevingut cada vegada més atractiva per a mi a mesura que treballava en els tres casos que hem analitzat en aquestes pàgines. L'alliberament nacional, com qualsevol altra forma d'alliberament, és un procés molt llarg; no és una batalla única i final, sinó una sèrie de batalles que s'estenen al llarg de molts decennis. Tot i la porfídia dels fanàtics religiosos, aquest procés és secular en el doble sentit del mot (segons la definició que en dona el diccionari): l'alliberament és un procés «mundà» i és de «durada indefinida». És secular, a més a més, en un altre sentit: el seu desenllaç no està determinat per la fe: ni per la fe religiosa ni tampoc per la ideologia. Els primers artífexs de l'alliberament pensaven que la seua lluita tindria un desenllaç singular i cert. Però el compromís crític amb les creences religioses és alliberador d'una altra manera: ara la fi roman oberta, és radicalment incerta. O millor encara: hi ha molts compromisos diferents i molts desenllaços diferents, sempre provisionals i temporals. El valor i l'atractiu dels diferents desenllaços depenen de la resistència i l'energia dels homes i les dones compromesos amb l'alliberament nacional, que han de defensar i identificar-se estretament amb les tradicions de la seua nació i alhora han d'oposar-se radicalment, i sense concessions, a totes les formes i versions de la passivitat i l'opressió tradicionalista.

La tasca que acabe d'esbossar ha estat també la meua pròpia tasca a l'hora d'escriure aquest llibre. I voldria encoratjar a assumir-la i dur-la endavant també els lectors i lectores disposats a compartir la meua convicció que moltes nacions –incloent-hi les tres que hem examinat ací– encara han de ser alliberades.

Post scriptum

Quan el 2013 vaig fer les conferències sobre l'alliberament nacional a la Universitat de Yale, gairebé la meitat de les qüestions o de les preguntes que plantejaren, un cop acabada la meua intervenció, els professors i estudiants que hi assistien no es referien a l'Índia, Israel o Algèria. Tenien a veure amb Estats Units. ¿La independència del Estats Units no havia estat una lluita americana per l'alliberament nacional (contra els mateixos governants imperials que a l'Índia i Israel) i no havia estat seguida uns trenta anys després per un extraordinari reviscolament religiós –el Segon Gran Desvetllament? D'altra banda, l'estat secular establert per la Constitució i les seues primeres esmenes no estigué mai seriosament en risc. Les institucions polítiques seculars sobrevisqueren i fins i tot s'enfortiren en aquests anys de reviscolament religiós. ¿Per ventura no és aquest un altre exemple de l'excepcionalisme nord-americà? Miraré de donar-hi una resposta breu a partir d'una ullada en cerca de semblances i diferències amb la política d'alliberament nacional del segle XX.

Les diferències són la part més consistent de la història. Tot i que podria semblar que en mereix el nom, la Revolució Americana no ha estat mai esmentada com una lluita d'alliberament nacional, ni s'ajusta al model que he tractat de descriure. La revolució no fou un cas d'alliberament nacional perquè no fou la comesa d'una antiga nació, ja visqués a l'exili o al seu propi territori, la cultura religiosa de la qual, en part pel seu caràcter tradicional i en part com a resposta a l'opressió estrangera, fos passiva, jeràrquica i deferent. Els revolucionaris no havien de crear «nous» americans: els americans ja eren nous. Com va argüir fa molt de temps Louis Hartz, el viatge a través de l'Atlàntic fou el seu alliberament o, si més no, l'inici de l'alliberament.[1] Els colons americans no responen als este-

---

1 Louis Hartz, *The Liberal Tradition in America: An Interpretation of American Political Thought since the Revolution* (Nova York: Harcourt, Brace and World, 1955), caps. 2 i 3.

reotips amb què els militants indis, jueus i algerians del segle XX descrivien el poble que volien alliberar: els americans no eren ignorants, supersticiosos, servils o temorencs. Eren lliures sense necessitat d'una lluita prèvia per l'alliberament cultural.

Molts americans eren religiosos però la seua religió era també (majoritàriament) nova, producte del moviment alliberador que s'havia desenvolupat als marges de la Reforma Protestant. La idea de la llibertat religiosa al si d'un estat secular era encara una doctrina radical i revolucionària, però no exigia la negació d'una tradició ortodoxa establerta d'ençà de molt de temps. Aquesta mena de tradició, a més, havia quedat lluny, al Vell Món. A les colònies hi havia esglésies establertes, però l'establiment era diferent –anglicans a Virgínia, per exemple, congregacionalistes a Massachusetts– i es trobaven en precari, soscavades i afeblides abans de la Revolució pel reviscolament evangèlic del Primer Gran Desvetllament i per allò que Edmund Burke en va dir, al seu «Speech on Conciliation with the Colonies», la «dissidència de la dissidència».[2] Tots els intents de crear una ortodòxia protestant estable es frustraren per la naturalesa divisiva de la religiositat reformada. Les sectes que nasqueren a redós del Desvetllament eren especialment inestables, i «es subdividien tan aviat com un membre articulava una forma nova, i més radical, d'espiritualitat».[3] Cap d'aquests grups estava disposat a admetre l'ús del poder de l'estat en suport de les confessions establertes prèviament i més antigues, de manera que esdevingueren enemics de la pietat recolzada estatalment.[4] La idea d'un estat secular no desafiava les conviccions més profundes o els sentiments dels (o de la major part dels) futurs ciutadans de la República americana.

No vull suggerir que la separació constitucional entre l'església i l'estat fos d'inspiració religiosa. Fou l'obra de la Il·lustració i els seus artífexs, com va escriure John Adams, «no estigueren de cap de les maneres sota la inspiració del

2 *Burke's Politics: Selected Writings and Speeches of Edmund Burke on Reform, Revolution, and War*, ed. Ross J. S. Hoffman i Paul Levack (Nova York: Alfred A. Knopf, 1959), 71. «Però la religió que més predomina a les nostres colònies del nord és un refinament del principi de resistència: és la dissidència de la dissidència i el protestantisme de la religió protestant».

3 T. H. Breen, *American Insurgents, American Patriots: The Revolution of the People* (Nova York, Hill and Wang, 2010), 33.

4 Bernard Bailyn, *The Ideological Origins of the American Revolution* (Cambridge, Mass.: Harvard University Press, 1967), 249.

Cel».[5] Però la separació tingué un ferm suport religiós en els protestants evangèlics. El ministre baptista Isaac Backus va expressar –escrivint en defensa de l'article 6 de la Constitució, que prohibia qualsevol mena de requisit religiós per accedir als càrrecs públics– un argument molt àmpliament compartit: «Res és més evident, a la llum tant de la raó com de les Sagrades Escriptures, que la religió és i ha estat sempre un assumpte entre Déu i l'individu; i que per conseqüent, cap persona o grup de persones no poden imposar cap requisit religiós sense envair les prerrogatives del Nostre Senyor Jesucrist».[6]

Com fan palès els exemples d'Adams i Backus, els revolucionaris no treballaven a partir dels mateixos textos i no venien tots del mateix lloc. Els líders polítics no eren per descomptat protestants evangèlics; alguns eren deistes; altres, podríem dir, eren cristians laxos. (Quan se li va preguntar a Alexander Hamilton per què no hi havia cap esment a Déu en el preàmbul de la Constitució, es diu que va respondre: «Se'ns va oblidar».)[7] Com molts dels alliberadors que hem considerat en aquest llibre, els americans eren «occidentalistes», per bé que en el seu cas Occident quedava al seu est: estudiaven amb dedicació els autors de la Il·lustració francesa i escocesa. Però líders com Jefferson, Adams, Hamilton i els seus amics, col·legues i rivals, eren al capdavall una «closca racionalista i escèptica» realment prima al si la societat americana.[8] (La frase recordarà sens dubte als lectors la descripció que feia Rajeev Barghava de Nehru i els dirigents indis del Partit del Congrés com la «prima closca superior que va dirigir el moviment nacional».) En canvi, la gran majoria dels homes i dones que T. H. Breen anomena «insurgents americans» no eren deistes i de cap manera es pot dir que foren laxos en el terreny religiós. Tampoc no eren particularment «il·lustrats», excepte pel que fa a matèries polítiques: aparentment, John Locke era molt llegit i citat. La majoria dels americans eren pietosos, fins i tot d'una pietat apassionada.[9]

5 Isaac Kramnick i R. Laurence Moore, *The Godless Constitution: The Case against Religious Correctness* (Nova York: W. W. Norton, 1996), 41.

6 Kramnick i Moore, *Godless Constitution*, 39-40.

7 Gordon Wood, *The Radicalism of the American Revolution* (Nova York: Alfred A. Knopf, 1992), 330.

8 Wood, *Radicalism*, 329.

9 Hannah Arendt, a *On Revolution* (Nova York: Viking Press, 1963), 308 n55, afirma que «les influències i moviments estrictament religiosos, incloent-hi el Gran Desvetllament, no tingueren cap influència en res del que feren o pensaren els homes de la Revolució». Això és veritat només si per «homes de la Revolució» hi entenem tan sols els seus líders intel·lectuals. Cal contrastar-ho amb Breen, *American Insurgents*, 35: «El conjunt d'idees que relacionem amb Benjamin Franklin i Thomas Jefferson no concordaven

113

Ara bé, l'oposició que trobem en lluites d'alliberament nacional posteriors entre intel·lectuals i militants il·lustrats, d'una banda, i les masses religioses, d'una altra, no és visible en el cas americà. Això s'explica en part pel caràcter de la religiositat lligada al protestantisme, il·lustrat per la defensa simultània que feia Backus de la Constitució secular i de les prerrogatives de Jesucrist. Però també derivava del que podríem considerar que era una sociologia protestant. L'individualisme radical fomentava les separacions, les escissions i els trencaments, i la conseqüència de la contínua divisió fou el pluralisme de denominacions confessionals que distingeix la religió a Amèrica de les ortodòxies tradicionals de l'Índia, Israel i Algèria. El pluralisme menava els protestants americans cap a la tolerància, la creació de noves esglésies i la separació.

Hannah Arendt celebrava la Revolució Americana perquè fou, en la seua opinió, una revolució política i no una revolució social, un aixecament de ciutadans emancipats més que no la rebel·lió d'obrers o camperols oprimits.[10] Probablement tenia raó, tot i que podríem discutir el seu punt de vista en el sentit que l'absència de revolució social és sempre una causa de celebració. A les colònies hi havia sens dubte desigualtats socials i econòmiques, a més d'unes desigualtats més radicals entre amos i esclaus, i entre homes i dones, que no es dirimien en la Revolució (tot i que un cert nombre de revolucionaris moralment coherents tractaren de plantejar la qüestió de l'esclavitud). Alguns clergues, especialment anglicans, reclamaven privilegis jeràrquics, i existia una mena d'aristocràcia colonial, terratinent i mercantil, amb comerciants enriquits delerosos de comprar terres i d'establir-se com a «vertaders» aristòcrates. Tanmateix, les elits colonials eren una pobra imitació de les de l'antic país i les divisions de classe hi eren menys pregones que a Anglaterra. Gordon Wood descriu així la feblesa de l'aristocràcia americana: «la seua relativa manca de distinció, la seua permeabilitat, la incapacitat per a viure d'acord amb la imatge clàssica d'una elit rectora de la cosa pública, i la seua susceptibilitat davant els desafiaments». Breen conclou que «segons els estàndards de l'Europa coetània, els colons blancs gaudien d'una considerable igualtat social».[11]

massa amb el que pensaven els homes de les milícies que finalment defensaren comunitats com Lexington i Concord».

10 Arendt, On Revolution, esp. cap. 2. Per a una visió diferent, vegeu J. Franklin Jameson, The American Revolution Considered as a Social Movement (Princeton, N. J.: Princeton University Press, 1967).

11 Wood, Radicalism, 121; Breen, American Insurgents, 29.

LA PARADOXA DE L'ALLIBERAMENT

Alguns americans, això no obstant, eren molt i molt rics, i d'altres vivien en la pobresa. La igualtat era probablement més d'actituds que material. Però les actituds eren molt visibles i cridaneres, i condicionaven la vida quotidiana. Els aristòcrates colonials comptaven amb genealogies més aviat minses, i amb prou feines podien reclamar la reverència dels seus compatriotes. El governador Hutchinson de Massachusetts, per exemple, lamentava que un «cavaller» no era tractat ni tan sols amb la «mínima civilitat» per gent que era socialment inferior. Els visitants europeus trobaven que els americans no mostraven cap deferència envers el rang i la riquesa: eren irreverents i insolents. En cert sentit, com va escriure Alexis de Tocqueville, els americans havien «nascut iguals» i eren igual de lliures.[12]

Aquesta sensibilitat igualitària ens duu a l'explicació més important de l'absència de qualsevol cosa semblant a una revolució social pròpiament dita en els primers temps de la història americana. Al Nou Món els revolucionaris no tenien cap necessitat d'escometre i transformar la consciència social, la cultura quotidiana dels (o de la majoria dels) seus compatriotes. L'energia que havia exigit abandonar l'antiga terra pairal i travessar l'Atlàntic va fer inviable una cultura de la deferència i la postergació o de la submissió jeràrquica als sacerdots i als aristòcrates: tothom havia fet la mateixa travessia. L'activisme dels nous americans, plens de confiança en si mateixos, conduí tanmateix a una relació aspra amb els pobles indígenes del continent. Però posà límits estrictes a l'aspror interna de la topada secular-religiosa. La feblesa de les jerarquies eclesiàstiques i socioeconòmiques feia relativament fàcil la política anticlerical i anti-aristocràtica. La fúria dels posteriors revolucionaris i promotors de l'alliberament nacional era inexistent, o d'escassa entitat, a Amèrica.

Hannah Arendt atribuïa la fúria o el que ella en deia la ràbia revolucionària (en la Revolució Francesa, per exemple) a la política de «necessitats i desigs». La ràbia, afirmava, és «l'única forma en què l'infortuni pot esdevenir actiu». Aquesta és una explicació plausible de la violència de la multitud, però no de l'autoritarisme que de vegades advé després de la presa del

12 Hartz, *Liberal Tradition*, 52-53. Alexis de Tocqueville, *Democracy in America*, trad. Arthur Goldhammer (Nova York: Library of America, 2004), vol. 2, part 2, cap. 3, p. 589, va escriure: «El gran avantatge dels americans és haver arribat a la democràcia sense haver de sofrir revolucions democràtiques i haver nascut iguals en lloc d'esdevenir-ho». [Hi ha traducció catalana: Alexis de Tocqueville, *La democràcia a Amèrica*, trad. de Jaume Ortolà, Barcelona: Riurau editors, 2011, p. 540.]

poder de l'estat. No és la ràbia popular el que actua aleshores, ni la política de «necessitats i desigs»; és la passió política i la condescendència elitista d'una avantguarda revolucionària que no es troba a gust, i de vegades fins i tot es troba enfrontada, amb el seu propi poble. Aquest enfrontament, aquesta guerra, no es va produir als Estats Units, i no s'hi va produir per dues raons: per la «novetat» de la societat americana i per la seua cultura religiosa.[13]

No vull exagerar aquest punt. Un gran nombre de *tories* americans vivien al si d'una cultura de la jerarquia i la deferència, i la defensaven. Alguns eren oficials de la Corona o clergues anglicans, intermediaris d'un tipus que també es fa present en els casos indi, jueu i algerià. Un estudi aprofundit de la política dels *tories* i del seu destí (uns vuit mil abandonaren les colònies) podria fer aparèixer la Revolució Americana més semblant a les lluites revolucionàries i d'alliberament posteriors. El *tories* eren una força política significativa en algunes de les colònies; tanmateix, la seua derrota fou un aspecte més aviat menor en la política de la Revolució. La marginalitat dels *tories* es fa palesa especialment en tot el que s'esdevingué una vegada aconseguida la independència.

El gran reviscolament religiós dels anys posteriors a la Revolució s'ajusta força al calendari dels meus tres casos, tots del segle XX: trenta anys, si fa no fa, després que la Constitució americana fos ratificada el ressorgiment evangèlic assolí les cotes més altes. Però aquest ressorgiment no fou el reviscolament d'una cultura tradicional. No fou un retorn sota una forma militant, polititzada, de res que s'assembles a la ideologia *tory*; no es proposava la restauració de l'autoritat clerical i no presentà cap desafiament als governants i jutges elegits de l'estat secular.

El Segon Gran Desvetllament suscità controvèrsies molt intenses al voltant de la relació església-estat. Una d'aquestes controvèrsies, que tenia com a tema el repartiment de correu els diumenges, il·lustra molt bé el que tenia d'excepcional la República americana dels primers temps. El 1810 el Congrés dels Estats Units aprovà una llei que establia que el correu havia de ser transportat i les oficines de correus havien de romandre obertes set dies a la setmana. La resolució fou furio-

---

13 Arendt, *On Revolution*, 106. Per a una crítica de l'argumentació d'Arendt ací (i en altres llocs), vegeu Benjamin I. Schwartz, «The Religion of Politics: Reflections on the Thought of Hannah Arendt», *Dissent* (març-abril, 1970), 144-61.

LA PARADOXA DE L'ALLIBERAMENT

sament recusada per molts protestants majoritaris i per alguns evangèlics que la titllaven de violació de la llei de Déu, una violació especialment pecaminosa en el que alguns insistien que era una «República cristiana». El sabbatisme era un corrent molt fort als Estats Units d'aquell temps. La majoria dels estats aprovaren lleis que restringien l'activitat comercial els diumenges. El Congrés mateix no celebrava sessions aquest dia. Però el repartiment de correu els diumenges fou defensat a tot el país pels anti-sabbatistes; esdevingué un tema central de debat i un gran nombre de protestants evangèlics, especialment baptistes, universalistes, adventistes del Setè Dia, i altres grups separats, negaven que fos competència del Congrés reconèixer un dia religiós de descans.[14]

Els escriptors i predicadors sabbatistes derivaven els seus arguments de la llibertat religiosa: obligar a distribuir el correu els diumenges, deien, impedia que els cristians practicants treballaren al servei de correus. Era l'equivalent d'una prova o requisit religiós i, per consegüent, era anticonstitucional. Els sabbatistes acusaven als seus oponents de planificar l'establiment d'una única església (puritana, calvinista) nacional, però probablement no tenien aquesta intenció. Alguns eren reformadors que volien no només un Diumenge Cristià, sinó també un dia de repòs per als treballadors americans. Moltes de les lleis restrictives dels estats feien exempció de grups com els adventistes del Setè Dia (i fins i tot els jueus), el sàbat dels quals es celebrava els dissabtes.[15]

En 1828 el debat sobre el correu arribà al Senat dels Estats Units, que va encarregar un informe sobre aquesta qüestió al seu Comitè de Correus i Comunicacions. El comitè estava presidit per Richard M. Johnson, de Kentucky, un baptista devot, i lliurà el seu «Report on the Subject of Mails on the Sabbath» en gener de 1829. En la redacció hi va col·laborar àmpliament Obadiah Brown, ministre de la Primera Església Baptista de Washington, D. C. És un «document sorprenent», com diuen Isaac Kramnick i R. Laurence Moore. Qualsevol intent per part del Congrés de suspendre el repartiment de correu els diumenges seria anticonstitucional, assenyalava l'informe, perquè instauraria «el principi que el Legislatiu és el tribunal escaient per a determinar què són les lleis de Déu». I no era

14 Kramnick i Moore, *Godless Constitution*, cap. 7.

15 Una visió que simpatitza amb els sabbatistes a James R. Rohrer, «Sunday Mails and the Church-State Theme in Jacksonian America», *Journal of the Early Republic* 7 (primavera 1987), 53-74.

així, atès que el Congrés era «una institució civil, totalment mancada d'autoritat religiosa».[16]

Johnson i Brown aportaren una visió primerenca i apassionada de l'excepció americana. La resta de la raça humana, escrivien, «vuit cents milions d'éssers humans racionals, es troba sotmesa a servitud religiosa». Aquesta «catàstrofe de les altres nacions» constituïa un «senyal de terrible advertència». Els autors de la Constitució dels Estats Units havien previst, com a resposta, un sistema de govern que protegia els americans «d'aquest mateix perill». El perill no era només la servitud, sinó també el fanatisme. El fanatisme religiós, que mobilitza els «més grans prejudicis de l'esperit humà... excita les pitjors passions de la nostra naturalesa sota el pretext enganyós del servei a Déu».[17] Escrita per un senador baptista i per un ministre baptista, tots dos producte d'un Desvetllament religiós, aquesta darrera frase és en si mateixa una explicació de la força perdurable del secularisme a la jove república. Ni els polítics ni els ciutadans republicans –insistien– n'havien de fer res en matèria del servei a Déu. Això era qüestió exclusiva dels homes i les dones individuals. (L'informe del Senat fou segons sembla molt ben acollit; deu anys després Johnson fou elegit vicepresident, formant tàndem amb Martin Van Buren.)

El caràcter nou dels americans i el radicalisme de molts protestants americans són probablement explicació suficient de la diferència entre la Revolució Americana i els moviments d'alliberament nacional que vindrien passat el temps. Però hi ha un altre factor que em sembla que val la pensa considerar, i que és clau precisament per la seua absència. La «qüestió de la dona» no figurà de cap manera en la Revolució Americana. No hi havia cap moviment feminista en les colònies i, com ha escrit Linda Kerber, ni tan sols els americans més radicals «no es plantejaven fer cap revolució en l'estatus de les seues dones i germanes».[18] És veritat també que la raça no hi fou un tema central, a despit dels debats constitucionals sobre el comerç d'esclaus i el cens, i dels drets dels gais ja ni parlar-ne, per descomptat. Però la qüestió de la jerarquia de gènere i de la igualtat de gènere és especialment important en raó del fort component jeràrquic de totes les grans religions, que inclourien probablement també el seguit de confessions protestants als

16 Kramnick i Moore, *Godless Constitution*, 139.

17 Kramnick i Moore, *Godless Constitution*, 139-40.

18 Linda K. Kerber, *Women of the Republic: Intellect and Ideology in Revolutionary America* (Chapel Hill: University of North Carolina Press, 1980), 9.

LA PARADOXA DE L'ALLIBERAMENT

segles XVIII i XIX, tret d'unes poques sectes molt marginals (Breen esmenta una dona que predicà en una reunió de quàquers a Long Island, Nova York, en 1769).[19] Si hagués hagut un fort impuls revolucionari en favor de la igualtat d'homes i dones, és quasi segur que el reviscolament religiós hauria comportant un moviment poderós de retrocés, que és exactament el que passà a l'Índia, Israel i Algèria.

La igualtat de gènere no fou un tret propi de l'alliberament del segle XVIII, però sí que és central en tots els debats sobre l'alliberament als segles XX i XXI. És central també als Estats Units i per això som probablement menys excepcionals del que fórem una vegada. La «servitud religiosa» no és un fet universal en la resta del món, com Johnson i Brown deien que ho era en 1829, i a hores d'ara ha assolit una certa rellevància als Estats Units. El protestantisme evangèlic ja no és un moviment radical. Als Estats Units es palès, a l'igual que a l'Índia, Israel i Algèria, que alguna cosa falla en la teoria de la secularització com a fenomen inevitable. Ara bé, l'alliberament no depèn de la secularització o, si més no, no depèn de la secularització en la versió més radical. Avui, les feministes religioses, capdavanteres de la igualtat de gènere, fan valdre les seues raons en totes o gairebé totes les confessions americanes, i els defensors de l'estat secular, oposats a la idea d'una «República cristiana», són actius i han reeixit, ben mirat, tant a dins com fora del món religiós. L'alliberament no s'atura: és un projecte en marxa.

19 Breen, *American Insurgents*, 34.

Agraïments

Aquest llibre és una versió revisada i ampliada de les conferències Henry L. Stimson que vaig exposar a la Universitat de Yale durant el mes d'abril de 2013. Però té una llarga història. Vaig començar a reflexionar i a escriure sobre la paradoxa de l'alliberament nacional cap a final de la dècada de 1990, i el 2001 vaig publicar una primera versió del que són ara els capítols 1 i 2 dins la *Festschrift* dedicada a David Hartman: *Judaism and Modernity: The Religious Philosophy of David Hartman,* a cura de Jonathan W. Malino (Jerusalem: Shalom Hartman Institute, 2001). En 2005 vaig fer tres conferències sobre l'alliberament nacional a la Law School de la Northwestern University. Estic molt agraït pels comentaris que m'hi van fer llavors Andrew Koppelman, Charles Taylor i Bonnie Honig. En 2007 vaig publicar una versió diferent dels capítols 1 i 2 al *Journal of Israeli History 2:2* (setembre 2007): «Zionism and Judaism: The Paradox of National Liberation». Pensava que allà s'acabava el projecte, però quan Ian Shapiro em va invitar a fer les conferències Stimson vaig tornar al tema, i amb aquest acomboiament vaig completar el text de les conferències i després aquest llibre.

Al llarg dels anys he debatut sobre l'alliberament nacional amb molts amics i col·legues i he rebut molts consells i algunes crítiques, tot plegat coses que portaven aigua al meu molí. Vull agrair a Gur i Dahlia Ofer, Michael Rustin, Brian Knei-paz, Mitchell Cohen, Rajeev Bhargava, Karuna Mantena, Bruce Ackerman, Ian Shapiro, David Bromwich, Steven B. Smith, Joseph Barret... i a Judith Walzer, la meua crítica més estreta, que sap trobar totes les frases pretensioses, elusives, ambigües o el·líptiques i em reclama que les revise (gairebé sempre li'n faig cas).

La meua argumentació es recolza en la majoria dels casos en fonts secundàries, és a dir, en l'obra d'acadèmics i periodistes que han escrit sobre el Congrés Nacional indi, el

121

moviment sionista, l'FLN algerià i la Revolució Americana. He donat referència de les seues obres de la manera més rigorosa possible a les notes, però un grapat d'aquests autors han exercit una influència tan considerable en la concepció i redacció d'aquest llibre que bé mereixen una menció a banda. Sobre l'Índia: V.S. Naipaul, Gary Jeffrey Jacobsohn, Uma Narayan, Chandra Mallampalli, Martha Nussbaum i (de nou) Rajeev Bhargava. Sobre el sionisme: Ehud Luz, Amnon Rubenstein, Shmuel Almog i Shlomo Avineri. Sobre Algèria: Alastair Home. Sobre Estats Units: Gordon S. Wood, T. H. Breen i el meu antic professor Louis Hartz. Ara bé, cal aclarir que cap d'aquests autors és responsable del que he pogut fer amb la seua obra.

Com sempre, m'he beneficiat enormement de l'amistat i el suport dels col·legues i el personal de l'Institute for Advanced Study, potser el millor lloc del món per estar-s'hi i escriure. I estic molt agraït als meus amics de la redacció de *Dissent* a Nova York, que han escoltat –potser massa i tot– molts dels arguments d'aquest llibre. Els meus editors a Yale University Press, William Frucht i Mary Pasti, m'han fornit el mateix encoratjament, preguntes pertinents i consells valuosos que he rebut d'ells una i altra vegada al llarg del temps. Em complau especialment que l'editorial haja volgut publicar un llibre tan breu, escrit en un estil informal.

Índex onomàstic i de conceptes

127

Ravitsky, Aviezer, 56

Ravnitsky, Yehoshua Hana, 45

Reviscolament religiós, 16, 29, 31-32, 35-37, 40, 52, 57, 64-65, 67, 73, 78-79, 89, 91, 93, 102, 107, 111, 116, 119; Americà, 11, 112-113, 116; Islàmic, 22-79; Jueu, 55, 57, 78. *Vegeu també* Hindutva; Ultra-Ortodòxia (Jueus)

Revolució, 11, 18, 24, 26, 74, 112, 115, 56, 113; Algeriana, 20; Americana, 14, 111, 114, 116, 118, 122; Francesa, 34; proletària, 86; Puritana, 36 Roy, M. N., 74

RSS (Rashtriya Swayamsevak Sang), 90

Rubinstein, Amnon, 20, 48, 52, 54, 58, 105

Sabbatisme, 117

Said, Edward, 13, 52-53, 66

Salhi, Zahia Smail, 25

Sand, Shlomo, 71

Sarkar, Sumit, 66, 91

Sartre, Jean-Paul, 22

Sati, 91

Savarkar, V. D., 70-73

Scholem, Gershom, 18, 60

Schwartz, Benjamin J., 116

Schwarzmantel, John, 76

Scott, James C., 16

Secularisme, 13, 21, 30-31, 33, 52, 61, 75, 77, 90-93, 97, 99-100, 102, 118; autoritari, 30-31; esquerra, 14, 21, 31, 75; de Nehru, 31, 61, 90, 93; i l'estat, 50, 54, 58, 69, 71-72, 83, 106

Sen, Amartya, 65-66, 98

Shah Bano, 96

Sionisme, Sionistes, 9, 11-12, 21, 23, 29, 30, 33, 35, 39-51, 54-60, 68, 71-73, 78, 80-81, 83, 86, 102, 105-106, 108, 122; vs. Judaisme, 39, 41, 44, 46 i la Terra d'Israel, 43, 44, 73; messiànic, 35; i normalitat, 42

Sistema de castes, 74

Slisli, Fouzi, 23

Smith, Anthony D., 71

Sofer, Moses, 20

Subaltern Studies, 66, 92

Sunder, Madhavi, 98

Tagore, Rabindranath, 102

Tambiah, Stanley J., 95

Primera edició de l'obra *La paradoxa de l'alliberament: Revolucions seculars i contrarevolucions religioses*, de Michael Walzer, traducció de Gustau Muñoz, en la col·lecció «Pensament i Societat», de la Institució Alfons el Magnànim-CVEI, amb un tiratge de quatre-cents exemplars, composta en tipus Linotype Syntax, impresa per la Impremta Diputació de València al mes d'octubre de l'any 2020.

De l'edició i la publicació d'aquesta obra s'ha encarregat l'equip editorial del Magnànim: Altea Tamarit, *difusió*; Beatriz Hernández, *difusió*; Enric Estrela, *subdirector*; Iván Navarro, *difusió*; José Luis Pinotti, *cap de distribució*; Julio Hervás, *distribució*; Luis Solsona, *distribució*; Manel Pastor, *edició*; María José Villalba, *administració*; Maryluz Ivorra, *edició*; Pere Gantes, *edició*, Robert Martínez, *edició*; Vicent Berenguer, *cap de publicacions*; Vicent Flor, *director;* Xavier Agustí, *difusió*, & Xelo Viana, *cap d'administració*.